Alla passione, all'impegno e
al sacrificio dei piloti e degli
specialisti dell'A.M. che hanno
operato per un trentennio con il
più brillante e simpatico addestratore
del mondo.

Un ricordo e un omaggio alla memoria
di quanti persero la vita nell'entusiasmo
del volo!

NICOLA MALIZIA

LOCKHEED T/RT-33A

(Storia di un addestratore)
(The story of a trainer)

IBN Editore

128
ICARO MODERNO

Grafica di copertina di Giorgia Napoleone

Traduzione di Frank McMeiken

Via Mingazzini, 7 - 00161 Roma
Tel. & Fax 06-4469828
e-mail IBN@aviolibri.it

ISBN 88-86815-92-1

Finito di stampare nel mese di Settembre 2003 presso la Pubbliprint Service - Roma
Via Salemi, 7 - Tel. 06.2031165 - Fax 06.20329392 - e-mail: pubbliprint@pubbliprint.it

CONTENTS

Ringraziamenti

L'Autore desidera ringraziare tutti coloro che si sono prodigati, con affettuosa e spontanea partecipazione, a rendermi più agevole il lavoro di ricerca tecnica e storica sui celebri T/RT-33A in servizio nell'Aeronautica Militare.

- Ufficio Storico dello SMAM – Ufficio Documentazione e Fotografico dello SMAM – Lockheed Advanced Development Company – Lockheed Martin Skunk Works - American Embassy of Madrid - Laboratori Fotografici del 5° e del 51°Stormo.

- Generale B.A.Sergio BRAGHETTA, Generale S.A.Luciano CASARSA, Comandante Pilota Enrico CIAMEI, S.Ten. Pil. (R.O) Arnaldo MAURI, Comandante Pilota Marcello RUSSOLILLO, Comandante Pilota Ugo SQUARCIAFICHI, Col.Pilota Giulio TAIOLI, Comandante Pilota Cesare VALENTI.

- M.llo Arm. Antonio BELLO, M.llo Arm. Adalberto GHION, M.llo Fot.Giovanni PRUCCOLI, M.llo Arm. Mauro PETRIZZO, M.llo Mot. Gastone TARLAO, M.llo F. Di FRANCESCO, M.llo EMB Vittore SQUARZONI.

- I sigg. Federico ANSELMINO, Antonio BESANA, Sauro BUSTACCHINI, Sergio CATELLANI, Massimo DEL MAGNO, Federico DIOTALLEVI, Gianni GAMBERINI, Claudio GENTA, Paolo GIACOMINI, Cesare GORI, Alessandro MANNI, Pietro MAZZARDI, Claudio MUSSONI, Alessandro NATI FORNETTI, Dott.Prof.Nicola PIGNATO, Raffaele SGARZI, Frank SMITH, "TIGER PRESS", Gianmaria SPAGNOLETTI, Claudio TOSELLI, Sergio VENTURI.

- Un riverente pensiero alla memoria del M.llo Pasquale DI SANTO, prezioso collaboratore durante la mia triennale attività presso la 651^ Squadriglia Collegamenti e Bersagli/51^ Aerobrigata d'Istrana.

- Un affettuoso e particolare ringraziamento agli amici Achille VIGNA e Frank McMEIKEN, quest'ultimo brillante traduttore di tanti miei lavori, eseguiti con cura, puntualità e insostituibile bravura.

Acknowledgments

The Author would like to express his thanks to all those who so readily, with spontaneous and enthusiastic co-operation, assisted me in the technical and historical research on the story of the celebrated T/RT-33A in service with the Aeronautica Militare.

- Ufficio Storico dello SMAM – Ufficio Documentazione e Fotografico dello SMAM – Lockheed Advanced Development Company – Lockheed Martin Skunk Works - American Embassy of Madrid - Laboratori Fotografici del 5° e del 51° Stormo.

- Generale S.A. Luciano CASARSA, Generale B.A. Sergio BRAGHETTA, Comandante Pilota Marcello RUSSOLILLO, Comandante Pilota Ugo SQUARCIAFICHI, Col. Pilota Giulio TAIOLI, Comandante Pilota Cesare VALENTI.

- M.llo Arm. Antonio BELLO, M.llo Arm. Adalberto GHION, M.llo Fot. Giovanni PRUCCOLI, M.llo Arm. Mauro PETRIZZO, M.llo EMB Vittore SQUARZONI.

- Sigg. Federico ANSELMINO, Antonio BESANA, Sauro BUSTACCHINI, Sergio CATELLANI, Massimo DEL MAGNO, Franco DI FRANCESCO, Gianni GAMBERINI, Claudio GENTA, Paolo GIACOMINI, Cesare GORI, Pietro MAZZARDI, Claudio MUSSONI, Alessandro NATI FORNETTI, Dott. Prof. Nicola PIGNATO, Raffaele SGARZI, "TIGER PRESS", Claudio TOSELLI, Sergio VENTURI, Achille VIGNA.

- A special thought in memory of M.llo Pasquale DI SANTO, precious collaborator during my thirty years with the 651^ Squadriglia Collegamenti e Bersagli/51^ Aerobrigata at Istrana.

- Particular thanks for my friend Frank McMEIKEN, careful, punctual, and untiring translator of many of my works.

PREFAZIONE

Raccontare la storia del simpatico e popolarissimo, quanto familiare Lockheed T-33 delle due versioni presenti nei reparti dell'Aeronautica Militare, bisognerà ripercorrere a ritroso nel tempo un abbondante ciclo di storia aeronautica, oltre 30 anni, tanti quanti sono stati quelli vissuti dal "T-Bird" nei nostri reparti di volo. Un tempo molto lungo, come sempre legato agli uomini e alle macchine, a chi e quanti hanno avuto la ventura di operare con questa macchina prodigiosa, ammirata dagli appassionati quasi sempre al di là delle reti aeroportuali, dove ogni cosa è ben nota come sia diversa per coloro che vivono e operano dentro i campi di volo.

Il Lockheed T-33A e con esso l'RT-33A, eleganti turboreattori, dal profilo architettonico così pulito ed efficiente, dalle prestazioni superbe e dal volo tranquillo, hanno segnato un'epoca molto importante per un gran numero di piloti e specialisti dell'A.M.; un velivolo rimasto in attività nei cieli italiani per ben tre decenni, tanto da addestrare una schiera infinita di giovani e veterani piloti dell'Aeronautica Militare ed offrire la possibilità anche agli specialisti di provare le gioie del volo sugli esemplari biposto.

E' con animo lieto, ma al tempo stesso commosso, che ho voluto allestire questa monografia sui ben noti Lockheed T/RT-33A, ai quali andrebbe attribuito un titolo degno della loro operosità e longevità, forse quello di.....sgobboni del cielo, poichè in ogni reparto italiano essi hanno fatto di tutto, meritando amore, fiducia e rispetto nonché quella tacita riverenza che spesso nasce spontanea in ogni componente dell'Arma, pilota e specialista, verso un aeroplano degno di questo nome.

Nella storia della nostra Aeronautica Militare, a volte travagliata, dolorosa, non di rado costellata anche di momenti esaltanti, altri velivoli contrassegnati con i nostri colori e le nostre insegne, non hanno offerto quelle prestazioni e quelle aspettative a chi ha vissuto in azzurro.

Troppi sono stati gli aerei Made in Italy a deludere e mortificare i sogni di chi aspirava a possedere qualcosa di meglio, soprattutto durante lo sciagurato periodo della 2^ Guerra Mondiale, quando affrontammo un nemico molto più forte e più preparato di noi, ma soprattutto lo affrontammo con aerei giudicati autentici avanzi da Museo! Ma il Lockheed T/RT-33A, aereo di pace, di rinascita e di esaltante giovinezza, non ha mai tradito e deluso nessuno. Ad esso elogi, meriti ed oggi finanche un pizzico di "nostalgia", forse anche perché questo celeberrimo addestratore, aereo dalle cento anime, ha rappresentato soprattutto il simbolo di una rinascita concreta per l'A.M. e un segno di una lontana giovinezza, per tanti passati ormai fatalmente, anche loro, noi degli "anta".... al di là della fatidica rete!

L'Autore

PREFACE

In recounting the history of the pleasant, popular, and familiar Lockheed T-33, two versions of which flew with units of the Aeronautica Militare, it will be necessary to revisit a long and abundant cycle of aviation history, covering more than 30 years, during which the "T-Bird" was a feature of Italian flying units. It was a very long time, always closely linked to the men and machines, both those who had the privilege of working with these prestigious aircraft, and those ever present enthusiasts who admired it from outside the airfield fence, where everything seems to be well known, somewhat different from those who lived and worked on the bases.

The Lockheed T-33A, and with it the RT-33A, elegant turbojets, with a clean and efficient aerodynamic profile, offering superb performance and docile handling, signified an important era for a large number of A.M.I. pilots and technicians; an aircraft that remained operational in the skies of Italy for more than three decades, a type that introduced jets to an infinite number of fledgling and experienced pilots of the Aeronautica Militare, and additionally offered maintenance technicians the opportunity to sample the experiences of flight thanks to its two seats.

It is with a glad heart, but not a little emotion, that I have prepared this monograph on the well-known Lockheed T/RT-33A, to which should have been given a title worthy of the type's longevity and reliability, perhaps that of.....toilers of the sky, as with every Italian unit they have performed every role, gaining affection, trust, and respect, as well as that tacit reverence which is often spontaneously born in every component of the service, pilot and technician, towards and aircraft worthy of this name.

In the history of the Aeronautica Militare Italiana, sometimes traumatic, sometimes tragic, but often characterised by a exciting moments, other aircraft bearing its colours have failed to deliver the performance and expectations of those in uniform blue who based their hopes on them.

Too many aircraft Made in Italy came to disappoint and delude the dreams of those who hoped for something better, above all during the tragic period of the 2nd World War, when Italy faced a stronger and more prepared opponent, but worse, confronted their enemy with aircraft worthy only of being museum-pieces! However, the Lockheed T/RT-33A, an aircraft of peacetime, of rebirth, and of glorious youth, never betrayed or disappointed anyone. It deserves praise, fame, and today even a big dose of nostalgia, perhaps because this celebrated trainer, an aircraft of a hundred roles, represents above all the symbol of the concrete re-birth of the A.M. and a vision of a distant youth for many now long passed away, and those of us still around to remember its, and our, distant prime!

The Author

LA GENESI

Il P-80 "Shooting Star" dell'U.S. Army Air Force, il primo jet americano, realizzato in soli 143 giorni (Foto Lockheed Martin Skunk Works)

The First U.S. Tactical Jet. This historical Lockheed aircraft went from designed drawing board to first flight in just 143 days

Lo studio per la creazione di un motore a reazione americano risale al 1940, quando l'Ing. Nathan Price, della Lockheed, aveva iniziato ad interessarsi della possibilità di creare addirittura un turbogetto a flusso assiale, anticipando senza dubbio di un bel po' i tempi dell'evoluzione propulsiva aeronautica, almeno questo nelle intenzioni e nelle soluzioni tecniche dell'epoca, in quanto i turbogetti già realizzati nel mondo agivano ad azione centrifuga.
In accordo con quello che doveva diventare il più abile progettista della Lockheed, vale a dire l'Ing.Clarence "Kelly" Johnson, a sua volta interessato a costruire un caccia intercettore interamente a struttura metallica, la ditta di Burbank diede il via agli studi preliminari, ignorando, però, come in Europa lo sviluppo dell'aereo a reazione fosse già in una fase più avanzata, vedasi Germania e Gran Bretagna.
Se lo studio preliminare era iniziato in pratica nel 1941, per il P-80, questo il "capostipite" del nostro T-33, soltanto il 28 Giugno 1943 la Lokheed poteva avviare la definizione del progetto, secondo le specifiche richieste dall'USAAF. Fu a questo punto che il grande progettista californiano, "Kelly" Johnson, assunse la direzione tecnica del progetto, appoggiato dai suoi migliori assistenti, fra questi citiamo i Signori D. Palmer, W.P. Ralston, A.M. Viereck ed L.F. Helst, a loro volta coadiuvati da ben ventidue disegnatori tecnici e da 105 operai specializzati.
Soltanto un mese più tardi, sulla base di ben 700 disegni, nacque il primo "simulacro" completo di quello che poteva definirsi un aero-

The genesis

Studies concerning the creation of an American jet engine commended in 1940, when Lockheed engineer Nathan Price, became interested in the possibilities of creating an axial flow turbojet, an undoubtedly advanced concept terms of the evolution of aviation propulsion, at least in the intentions and technical solutions available at the time, when the jet engines that had been produced were all based on the centrifugal axis design.
Following an agreement with the man who was to become Lockheed's most capable and celebrated designer, Clarence "Kelly" Johnson, who in turn was interested in constructing an interceptor fighter of all metal construction, the Burbank firm launched preliminary studies, unaware however that in Europe the development of a jet-powered aircraft was already at an more advanced stage, particularly in Germany and Great Britain.
If, in practice, the preliminary studies had been initiated in 1941 for the P-80, the forerunner of the T-33, in was only on 28 June 1943 that Lockheed could finally begin project definition, based on the specific requests of the USAAF. It was at this point that the great Californian designer, "Kelly" Johnson, took over the technical direction of the project, supported by his most able assistants, such as D.Palmer, W.P.Ralston, A.M.Viereck and L.F. Helst, in turn assisted by twenty-two design technicians and 105 specialist workers.
Only one month later, after the completion of some 700 drawings, was the first mock up of what could be defined as the real aircraft finally

Esemplare "TR-660" (Serial Number 51-6660) sulla base di Amendola (Foto N. Pignato)

Lockheed TR-33A "TR-660" (Serial Numer 51-6660) at Amendola airbase

L'elegante profilo di un T-33A della base foggiana. Accanto alle iniziali sigle "TR" appaiono le ultime tre cifre del Serial Number all'americana, stampigliato sulla deriva (Foto A.M.)

The elegant profile of one of T-33A on the Foggia airbase. The "TR" prefix is followed by the last three numbers of American Serial Number carried on the fin

plano! Il 26 Luglio 1943 si passò alla costruzione del prototipo, siglato, secondo la vecchia consuetudine statunitense, con la lettera X, alla quale seguiva la lettera riservata ai velivoli da caccia, la P, che stava per Pursuit (inseguitore). In tal modo nasceva l'XP-80, al quale fu dato un affettuoso e simpatico soprannome, quello di "Lulu Belle". Mancava ancora il motore ed anche in sede di assemblaggio si dovette far riferimento soltanto su due disegni, tanto che di fronte alla presenza del primo vero turbogetto dell'XP-80 fu necessario apportare delle modifiche essenziali, al fine di facilitarne l'installazione. Si trattava di un propulsore costruito dalla de Havilland Aircraft Company, Ltd., inglese, l'Halford H-1B, capace di erogare una potenza di 3.000 libbre di spinta.

Ai primi del mese di Novembre del 1943, più esattamente durante la notte del 13, un tranquillo Sabato d'autunno, l'XP-80, smontato a ricaricato sui cassoni di alcuni capacissimi camion, interamente coperti da robusti teloni, era trasferito, attraverso zone desertiche, fino alla base di Muroc Army Air Field, dove era previsto un accurato ciclo di prove a terra, prima di organizzare e disporre il fatidico First Test Flight (primo volo di collaudo). Ma le prove iniziali sul funzionamento del turbogetto furono alquanto deludenti, anche perchè parte delle palettature del compressore cedettero, per l'ingestione di alcuni pezzi dei condotti d'adduzione dell'aria. Per questo motivo fu necessario ritardare la data del primo volo di collaudo.

L'elegante "Starfire", estrapolazione della famiglia dei Lockheed, in volo nei cieli americani (Foto Office Air Attache American Embassy Madrid)

The elegant "Starfire", another development from the Lockheed family, in flying in skies over America

completed. On July 1943 they moved on to the construction of the prototype, identified, according to standard American procedure, by the prefix X, followed by the role designation letter identifying fighters, P, which stood for Pursuit. Thus the XP-80 was created, and the aircraft was given a friendly and endearing nickname, that of Lulu Belle. It was still waiting for its engine, and even in the assembly shop their were only two design drawings for reference, such that when the first real turbojet arrived for installation in the XP-80 it was necessary to make some modifications to facilitate the process. This engine had been built by the de Havilland Aircraft Company, Ltd., in Britain, and was named the Halford H-1B, capable of producing some 3.000 pounds of thrust.

During early November 1943, more exactly on the night of the 13th, a peaceful autumn Saturday evening, the XP-80, dismantled, loaded into crates, and placed on a large truck and covered in a heavy tarpaulin, was transferred through the desert to the base at Muroc Army Air Field, where it was subjected to an intensive cycle of ground testing leading up to readiness for the First Test Flight. However, the initial trials of the turbojet were somewhat disappointing, and were additionally hampered when some foreign objects were inducted through the air intakes, causing damage to the compressor blades. This

Normale attività di volo per un Allievo Pilota del Nucleo Addestramento Velivoli a Reazione di Foggia. Accurato "controllo" pre-volo prima di una missione addestrativa (Foto R. Sgarzi)

Ready for to fly! Pre-flight checks are conduced prior to mission by a student of Nucleo Velivoli a Reazione of Foggia-Amendola

Aeroporto di Montichiari, sede della 6^Aerobrigata. Schieramento di Lockheed T-33A del Nucleo Addestramento Velivoli a Reazione presenti sulla base del bresciano. Sullo sfondo alcuni F-84G della 6^ A/B, in primo piano un FIAT G.59/4B coperto dalle sue tele impermeabili protettive (Foto Arch. dell'Autore)

Montichiari airbase, home of 6^Aerobrigata equipped with Republic F-84G. A line of Lockheed T-33A of the Nucleo Addestramento Velivoli a Reazione of Foggia-Amendola, detached in Northern Italy.In the foreground is a covered FIAT G.59/4B

caused the projected first flight date to be setback.
On 28 December 1943 a new turbojet arrived at Muroc, and it was quickly subject to a severe and prolonged ground test programme, which would finally permit the first flight date to be fixed. At the end of these new and exhaustive checks, the technicians were finally, on 6 January 1944, able to set a date for the following morning of 1944 when the XP-80 would make its long expected first flight. However, some minor complications forced a further delay to the event of another twenty-four hours.
On the morning of 8 January 1944, at exactly 09.10, the XP-80 Lulu Belle, carrying Serial Number 44-83020, entirely painted in green (the colour of hope?), finally lifted off the Muroc runway, flown by Lockheed's Chief Test Pilot, Mister Milo Burcham, to conclude, in accordance with the project, the first true take-off and the first test flight.
This was a flight which some reporters at the time defined as somewhat disappointing, as the aircraft suffered from some hydraulic problems and also demonstrated some negative characteristics, amongst these being a tendency to stall and the requirement to use excessive force on the control column in order to retain sufficient control.
At 10 on the dot, after a fifty-minute flight, Milo Burcham set the wheels

Il 28 Dicembre 1943 giunse a Muroc un nuovo turbogetto, che fu subito sottoposto ad un più severo e prolungato collaudo a terra, prima di fissare la data del volo inaugurale. Alla fine di questo nuovo ed impegnativo controllo finalmente i tecnici ritennero possibile, per il pomeriggio del 6 Gennaio 1944, che l'XP-80 fosse pronto a compiere il suo atteso volo di collaudo, fissandolo per la mattina del giorno dopo. Ma dei piccoli contrattempi fecero sì che tale evento fosse spostato ancora di altre ventiquattro ore!
Al mattino dell'8 Gennaio 1944, più esattamente alle ore 09.10, l'XP-80 "Lulu Belle", con Serial Number 44-83020, interamente dipinto di verde (il colore della speranza?!), si mosse finalmente lungo l'asse di pista dell'aeroporto di Muroc, ai comandi del Capo Collaudatore della Lockheed, Mister Milo Burcham, per compiere, secondo programma, il suo primo, vero decollo ed il suo primo volo di collaudo.
Fu un volo che alcune cronache del tempo definirono piuttosto deludente, perché l'aereo ebbe qualche problema nel sistema idraulico di bordo, oltre a manifestare alcune caratteristiche negative, fra queste una tendenza allo "stallo" e uno sforzo più che inquietante sulla barra di comando, per renderlo sufficientemente governabile.
Alle 10 in punto, dopo soli cinquanta minuti di volo, Milo Burcham posava le ruote del "Lulu Belle" sulla pista di Muroc, per riferire ai tecnici della Lockheed quanto aveva tratto da quella sua prima esperienza di volo sull'XP-80 S/N 44-83020. Tuttavia, a parte le prevedibili noie, comuni a quasi tutti i velivoli nei loro primi cimenti, l'XP-80 aveva raggiunto una velocità di ben 800 km/h. motivo più che sufficiente per trarre degli ottimi auspici per una macchina appena all'esordio!
Non disponendo di motori inglesi in gran quantità, lo Stato Maggiore dell'USAAF propose alla Lockheed l'adozione di un nuovo reattore, il General Electric I-40, rielaborazione del "Wittle", capace di fornire una spinta di gran lunga superiore all'Halford H-1 britannico, circa 3.600 libbre, vale a dire il 60% in più del de Havilland. Ma per installare il propulsore americano fu necessario ridisegnare la cellula dell'XP-80. In questo caso la fusoliera fu allungata da 9,90 a 10,42 metri; le prese d'aria furono modificate ed il peso totale dell'aereo aumentò del 25%, richiedendo l'adozione di una nuova corda alare, che da 11,21 metri fu portata a 11,72. affinché conservasse lo stesso carico studiato per l'XP-80 "Lulu Belle". Con tali necessarie modifiche furono approntati altri due prototipi, codificati XP-80A.
L'ala del P-80 era stata ricavata su profilo laminare NACA 63-213, con 1°30' di svergolamento e con un diedro frontale di 3°30', costruito in un solo elemento strutturale.
Il volo di collaudo del primo prototipo dell'XP-80A (Serial Number 44-83021), chiamato "Gray Ghost" (Fantasma Grigio), si registrò il 10 Giugno 1944, ai comandi di Tony W. Le Vier, mentre il secondo

of Lulu Belle back down on the Muroc runway, and reported to the Lockheed technicians on his first flight evaluation of XP-80 S/N 44-83020. Nevertheless, despite the predictable irritations, common in nearly all aircraft during their early development, the XP-80 had attained a speed of some 800 km/h, a more than sufficient indicator of the excellent prospects for an aircraft making its debut!

As a large quantity of British-built engines was not available, the USAAF General Staff proposed that Lockheed should adopt a new engine, the General Electric I-40, a reworking of the "Whittle", capable of delivering much greater thrust than the Halford H-1, around 3.600 lbs, some 60% more than the de Havilland engine. However, to install the American engine it was necessary to redesign the XP-80 airframe. In this case the fuselage was lengthened by 9.90 cm to 10.42 metres; the air intakes were modified, and the aircraft total weight was increased by 25%, requiring the adoption of a new wing chord, which from 11.21 metres was increased to 11.72, although retaining the same loading as that studied for the XP-80 Lulu Belle. Two further prototypes with these modifications were produced, being designated XP-80A.

The P-80 wing featured a NACA 63-213 laminar profile, with 1°30' of sweep, and with a frontal dihedral of 3°30', being constructed in one single structural element.

Uno dei primi Lockheed T-33A assegnato all'Aeronautica Militare, più esattamente al Nucleo Addestramento Velivoli a Reazione basato sull'aeroporto di Amendola (Foggia). Notare le feritoie delle armi di bordo accuratamente coperte, mentre all'interno, per compensare il peso delle stesse, era stata posta un'apposita zavorra (Foto A.M.)

One of the first Lockheed T-33A delivered to Aeronautica Militare and assigned of the Nucleo Addestramento Velivoli a Reazione, based in Amendola airfield, in Southern Italy

Un pilota del Nucleo Addestramento in procinto di salire a bordo di un T-33A per una missione addestrativa. L'esemplare mostra l'insolita presenza di due soli numeri accanto alle lettere "TR" (Foto A.M.)

A pilot of the Nucleo Addestramento ready for a training flight. Note the unusual code with two numbers from the Serial Number following the "TR" prefix"

Ultimi consigli da parte di un tecnico, probabilmente americano, per un giovane Allievo Pilota prima di compiere un volo a bordo di un T-33A del Nucleo Addestrativo foggiano (Foto Arch. dell'Autore)

Final advices from a technician, probably American, for a young studend about to commence a mission in one of the T-33A of the Nucleo Addestramento

prototipo (S/N 44-83022), si levò in volo il 1° Agosto 1944, sempre alla guida di Tony Le Vier, con una nuova, affettuosa denominazione, quella di "Silver Ghost" (Fantasma d'Argento). Questo secondo modello era stato predisposto per accogliere un secondo abitacolo.
Il 13 Settembre 1944 i primi 13 esemplari "pre-serie" dell'XP-80A (Serial Numbers 44-83023-44-83035) erano provati in volo ed assegnati immediatamente dopo al N.A.C.A. (National Advisory Committee for Aeronautics), per subire nuovi tests valutativi. Nel frattempo erano allestiti due prototipi di XP-80 "aerofotografici", anche questi designati XP-80A (Serial Numbers 44-83024/44-83025),

Un Lockheed T-33A del Nucleo foggiano in volo lungo le coste basse adriatiche (Foto F. Di Francesco)

Lockheed T-33A of Amendola flying along Italy's Adriatic coastline

The test flight of the first XP-80A (Serial Number 44-83021), called Gray Ghost, occurred on 10 June 1944, flown by Tony W.Le Vier, while the second prototype (S/N 44-83022), flew on 1 August 1944, again with Tony Le Vier at the controls, this example being baptised with another nickname, that of Silver Ghost. This second model was adapted to accommodate a second cockpit.

By 13 September 1944 the first 13 pre-series examples of the XP-80A (Serial Numbers 44-83023-44-83035) had been flight-tested, and were immediately assigned to N.A.C.A. (National Advisory Committee for Aeronautics) to undergo new evaluation trials. In the meantime, two photographic versions of the XP-80 were fitted out, and these, still designated XP-80A (Serial Numbers 44-83024/44-83025), were completed on 10 October 1944. However, ten days later Lockheed suffered a grave loss, when the XP-80A, S/N 44-83025, airborne with Milo Burcham at the controls, crashed some 55 minutes after wheels-up from the Muroc runway! In the accident, which gave Burcham no chance to use his parachute, the first test pilot of the "Shooting Star"...Lulu Belle, lost his life in an instant, the green colour of the prototype, signifying hope, failing to bring luck to the prestigious American test pilot.

Assignment of P-80A to the units of the USAAF could not commence until the end of 1945, but four examples were, in the interim, sent to Europe on 14 November 1944, Serial Numbers 44-83026/44-83029, in an attempt to test the technical and offensive characteristics of the aircraft in a possible combat against aircraft of the Luftwaffe, a cir-

completati il 10 Ottobre del 1944, ma dieci giorni dopo la Lockheed doveva registrare una gravissima perdita, quando il prototipo XP-80A, S/N 44-83025, decollato ai comandi di Milo Burcham, precipitava al suolo 55 minuti dopo aver staccato le ruote dalla pista di Muroc! Nel gravissimo incidente, che non aveva dato la possibilità al pilota di un estremo lancio col paracadute, perdeva la vita all'istante quello che era stato il primo collaudatore dello "Shooting Star"...Lulu Belle, il cui colore verde...quello della speranza, non aveva certamente portato fortuna al prestigioso collaudatore americano!
L'assegnazione dei P-80A ai reparti dell'USAAF non potè avvenire prima della fine del 1945, ma quattro soli esemplari erano stati inviati nel frattempo il 14 Novembre 1944 in Europa, velivoli contrassegnati con i Serial Numbers 44-83026/44-83029, nel tentativo di saggiare le doti tecnico-belliche dell'aereo in un eventuale combattimento contro velivoli della Luftwaffe, circostanza che in effetti non avvenne. Due di questi aerei, gli esemplari 44-83026 e 44-83027, furono inviati in Gran Bretagna ed assegnati all'8th Air Force, mentre gli altri due – S/N 44-83028-44-83029 – giunsero in Italia ed assegnati alla 15th Air Force. Si ha il sospetto che tali reattori fossero stati dislocati dapprima a Capodichino (Napoli), poi addirittura in uno dei campi della Capitale, Ciampino, Guidonia o Furbara.
L'esemplare YP-80A, S/N 44-83026, di stanza in Inghilterra, causò la morte di un pilota dell'USAAF, il Maggiore P.A. Borsodi, quando il suo velivolo esplose in volo durate il suo primo Flight Test. Le cause di tale brutto incidente furono addebitate al cattivo funzionamento del cono di scarico.
L'assegnazione dei primi P-80A interessarono di fatto il 412th Fighter Group dell'USAAF, dislocato sull'aeroporto di March Field, in California, dove operò dal Novembre del 1944 al successivo Novembre del 1946.
Nel Giugno del 1948 la Forza Aerea degli Stati Uniti d'America, fino a quel tempo denominata USAAF, come ben noto United States Army Air Force, divenne USAF, forza aerea indipendente e autonoma, realmente....aeronautica, quindi non più legata alle dipendenze e alle funzioni dell'Army, l'Esercito. Anche le sigle dei caccia americani, già contrassegnati con la lettera P, il cui significato, come già detto, indicava nel tipo del velivolo un Pursuit (inseguitore), mutavano definizioni, adottando la lettera F (Fighter). Ma per alcuni caccia rimase ancora per anni la lettera "P", valgano per tutti i P-47D "Thunderbolt" e i P-51D, assegnati anche all'Aeronautica Militare, gli uni alla fine del 1950, gli altri quasi contemporaneamente.
La successione di serie dell'F-80 vide la realizzazione del tipo "B", un aereo potenziato con un General Electric J-33/A23 da 2.086 kg/spinta. Un esemplare di questa versione, alla guida del Colonnello USAF Albert Loyd, conquistò un primato di velocità, toccando i

cumstance which never was to occur. Two of these aircraft, 44-83026 and 44-83027, were sent to Great Britain, and assigned to the 8th Air Force, while another pair – S/N 44-83028-44-83029 – arrived in Italy, joining the 15th Air Force. It is believed that these two jets were initially sent to Capodichino (Napoli), and then direct to one of the airfields around the capital, either Ciampino, Guidonia, or Furbara.
The YP-80A, S/N 44-83026, one of the aircraft in England, caused the death of a USAAF pilot, Major P.A. Borsodi, when the aircraft exploded in flight during its first flight test. The cause of this tragic accident was identified as the irregular functioning of the exhaust cone.
The first operational P-80A were actually assigned to the 412th Fighter Group of the USAAF, located at March Field, in California, from where the type was operated between November 1944 and November 1946.
In June 1948, the air force of the United States of America, up till then known as the USAAF, the United States Army Air Force, became the USAF, a truly independent and autonomous force, no longer inserted into the structure or traditions of the Army. At the same time, the designations of the American fighters, formerly commencing with the letter P, which signified, as has been noted, the type of aircraft used for Pursuit, changed definition, adopting the letter F (Fighter). However, for some fighters the letter "P" remained in common for some years, such as for all the P-47D "Thunderbolt" and P-51D assigned to the

Intensa attività addestrativa di T-33A presso la base di Amendola. Duplice rifornimento, attraverso le famose autobotti FIAT 10000/SPA dell'A.M. (Foto A.M./Via A. Vigna)

Intense training activity with the T-33A at the Amendola airbase. Dual refuelling is in process with the famous FIAT 10000/SPA tankers of the of A.M.

1.003,6 Km/h, ma non fu il solo ufficiale statunitense a conseguire un tale lusinghiero successo, perchè in altri cimenti l'F-80 dimostrò affidabilità e sicurezza, conquistando altri records, anche importati, come è costume per tutti i nuovi aeroplani Made in USA, che ancor prima di essere "coinvolti" in possibili conflitti, cercano di raggiungere e superare i più ambiti primati del mondo.
Un altro importante primato se lo aggiudicò, infatti, in quel tempo – Maggio del 1946 – il 94th Fighter Group, che col comandante in testa spostò ben ventisei velivoli da March Field a Washington e ritorno, mantenendo una formazione compatta, per un tempo di volo più che lusinghiero. Ma accanto ai primati del cielo, l'F-80 produsse, purtroppo, altri guai e nuovi lutti. Dopo la scomparsa di Milo Burcham perì Enric Claypool, per le stesse ragioni che avevano causato la sciagura al Capo Collaudatore della Lockheed: guasti all'impianto del carburante. Nonostante le necessarie modifiche, imposte dalle immancabili Technical Ordinances, in un altro incidente perse la vita un asso della 2^ Guerra Mondiale, il Maggiore USAF Richard Bong, mentre lo stesso Tony Le Vier, che come abbiamo visto aveva preso il posto dello sfortunato Milo Burcham, uscì miracolosamente illeso da un rovinoso incidente accadutogli il 20 Marzo 1945.
La nuova versione dell'F-80 fu la "C", portata finalmente a misurarsi in campo bellico, in quanto nel 1950 si apriva improvviso il fronte di Corea, dove l'USAF ebbe a patire, almeno sulle prime, la supre-

Una coppia di T-33A in volo addestrativo sopra una banco di nuvole disteso nei cieli di Puglia (Foto C. Valenti)

A pair of T-33A training above a white layer of clouds in the sky over Puglia

La Pattuglia Acrobatica di T-33A della Scuola Addestramento a Reazione creata nel 1959 durante la presenza di numerosi piloti provenienti da unità diverse. Volo di formazione sul cielo campo e atterraggio sulla base pugliese (Foto R. Sgarzi)

The Acrobatic Team of T-33A of Scuola Addestramento Aviogetti was created during 1959, when the Scuola had witnessed the presence of numerous pilots from different units

T-33A in volo ai margini di un cocuzzolo caratterizzato da un paesino dell'entroterra pugliese (Foto F. Di Francesco)

T-33A in flight near on of the characteristic features of the Puglia countryside

mazia aerea da parte dei nord-coreani, appoggiati dalla Cina di Mao e dal colosso sovietico, che misero in campo il celebre quanto famigerato MiG 15, verso il quale nemmeno il più che volenteroso F-80C riuscì a prevalere in maniera netta. Eppure, come segno augurale e fortunato, al primo scontro, fra F-80C e MiG 15, fu proprio un pilota dell'USAF, il Lieutenant Russel F.Brown, ad abbattere un "Fagot", nome in codice NATO assegnato al MiG russo. Questo storico evento, quasi contemporaneo, si verificò l'8 Novembre 1950, ma come già detto non fu che un "exploit", in quanto per aver ragione dei più sguscianti ed armati MiG 15, nonché acquisire la supremazia aerea sul fronte, fu necessario mettere in linea di combattimento il più che celebre North American F-86E "Sabre", la Sciabola dell'USAF!
Dell'F-80 furono costruiti 1.718 esemplari, distribuiti nelle tre versioni principali – A – B – C -. Ma da questo illustre capostipite doveva nascere il più elegante, coriaceo e più famoso T-33, uno dei più apprezzati addestratori del mondo, del quale furono allestiti ben 5.691 esemplari.

Aeronautica Militare Italiana, which changed at the end of 1950, the others following in the subsequent year.
The subsequent development of the F-80 series saw the production of a "B" model, an aircraft powered by a General Electric J-33/A23 producing 2.086 kg of thrust. An example of this version, flown by USAF Colonel Albert Loyd, regained a speed record, attaining 1.003,6 Km/h, but he was not the only American officer to deliver this success, as in many ways the F-80 proved itself safe and reliable, and conquered other important records, as was common for all the new aircraft 'Made in USA', which even before being involved in possible conflicts, were engaged in attempts to break as many world records as possible.
Another important 'record' for that time, if we may use a loose interpretation of the word, was achieved in May 1946 by the 94th Fighter Group, which with its commander at its head transferred twenty six aircraft from March Field to Washington and back, maintaining a tight formation, and in a more than flattering time. However, alongside these records, the F-80 unfortunately produced its fair share of tragedy. Following the loss of Milo Burcham, Enric Claypool was lost, with the cause being identical to the one that killed Lockheed's Chief Test Pilot, a failure of the fuel system. Despite the requisite modifications, imposed by the USAF Tecnical Ordinances, another accident took the life of an ace from World War Two, USAF Major Richard Bong, while Tony Le Vier, who as we have seen took the place of the unfortunate Milo Burcham, escaped miraculously from a major accident which occurred on 20 March 1945.
The first version of the F-80 to see combat was the "C", which in 1950 made a sudden appearance on the Korean front, where the USAF had to confront, at least in the early stages, the air supremacy achieved by the North Koreans, supported by Mao's China and the Soviet colossus. This support had enabled the opponents to give a combat debut to the celebrated and notorious MiG 15, over which not even the willing F-80C managed to gain supremacy. However, in a fortunate and promising initial encounter between F-80C and MiG 15, it was the USAF pilot, Lieutenant Russel F.Brown, who shot down a Fagot, the NATO reporting name assigned to the Russian MiG. This historic event, almost unique, occurred on 8 November 1950, but as has been reported, it was merely a lucky "exploit", as to obtain success over the more lively and slippery MiG 15, and to achieve air superiority over the front, it was necessary to send into combat the more than famous North American F-86E "Sabre".
Some 1,718 examples of the F-80 were constructed, manufactured in three principal versions - A-B-C -. However, from this illustrious family head was created the more elegant, tough, and famous T-33, one of the most appreciated trainers in the world, and of which some 5,691 examples were built.

Linea di Lockheed T-33A ripresi a Montichiari (Brescia), dopo un'abbondante nevicata. Notare come i velivoli abbiano mutato le sigle di fusoliera, da "TR" in "ST" (Scuola Turbogetti). In primo piano un T-33A con codici e insegne dell'USAF, con Serial Number insolitamente stampigliato nella parte centrale della fusoliera. Potrebbe essere un addestratore americano, ma anche un nuovo T-33A assegnato all'A.M. (Foto P. Mazzardi)

A line of Lockeed T-33A at Montichiari airbase, afflicted by a heavy snowfall. Note the new code letters in fuselage, "ST" (Scuola Turbogetti). In the foreground is a T-33A with USAF codes and insignia, and carrying an unusual Serial Number on the central fuselage. Perhaps it is an American on a training flight, but probably it is a new T-33A on delivery to the A.M.

Isolato Lockeed T-33A al parcheggio di un raccordo della desolante base di Amendola! (Foto A.M.)

A single Lockeed T-33A in its parking slot on the desolate Amendola airfield!

Il Serg. Pilota Cesare Valenti durante il suo periodo di addestramento accanto ad un T-33A della base di Amendola (Foto C. Valenti)

Sgt. Cesare Valenti during his advanced training in a T-33A of the Scuola Addestramento Volo a Reazione to Amendola airbase

Coppia di Lockheed T-33A ripresi sulla inalterabile, quanto squallida base di Amendola! In primo piano l'esemplare con M.M.51-5253 (Foto Arch. dell'Autore)

A pair of Lockheed T-33A in their squalid airbase of Amendola. In the foreground is M.M.51-525

NASCITA DEL T-33

Il T-33 - la T nell'USAF sta per Trainer tanto per spiegarlo ai profani e ai neofiti, nella nostra lingua addestratore - nacque dal TP-80C, poi dal Giugno del 1948 codificato TF-80C.
Creatura di Irv Culver, progettista ufficiale, diventerà l'addestratore più famoso del mondo.
Il primo volo di questo esemplare, Serial Number 48-356, si registrò il 22 Marzo 1948, ai comandi dell'onnipresente Tony Le Vier.
Inizialmente il TF-80C, S/N 48-356, era stato potenziato con un turbogetto tipo Allison J33-A-23, poi sostituito con un similare, siglato J-33A-35, l'uno dalla potenza di 2.250 Kg/spinta, l'altro di 2.360.
In effetti l'F-80 era stato concepito, realizzato e sviluppato per ricavare un biposto destinato all'addestramento avanzato. Ne scaturì, quindi, un adattamento piacevole e funzionale, con l'allungamento della fusoliera di 96,5 cm, per ricavare il secondo abitacolo-pilota.
Per quanto concerne lo sviluppo del T-33 riteniamo opportuno elencare, sia pur brevemente, le varie versioni, nate dall'evolversi naturale della riuscitissima macchina, anche se a dire il vero il più indovinato restò sempre l'affidabile e ben noto T-33A, che pur conservando la vecchia denominazione di Shooting Star (Stella Filante), assunse più tardi quella più affettuosa di "T-Bird".
In merito alle varie versioni cominceremo col citare proprio il nostro protagonista principale, il T-33A, in pratica il modello base della Lockheed e l'addestratore più apprezzato, non soltanto nei reparti dell'USAF, ma in quasi tutte le aviazioni del mondo, Aeronautica Militare compresa. Fu l'aereo più richiesto e più adatto a tanti problemi del volo, come vedremo non soltanto addestrativo, ma potremmo dire...multiruolo. La costruzione di 5.691 esemplari, realizzati nell'arco di un decennio, cioè dal Maggio del 1949 all'Agosto del 1959, consentì la fornitura a circa trentasei nazioni, mentre un buon

Un Lockheed T-33A della Scuola pugliese, con nuovi codici in fusoliera: "SA", Scuola Aviogetti, mutato in seguito ai programmi istruzionali presso la base di Amendola (Foto Arch. dell'Autore)

A Lockheed T-33A with the new code letters, indicating the Scuola Aviogetti

The birth of the T-33

The T-33 - T in the USAF standing for Trainer - was created from the TP-80C, which from the June of 1948 was redesignated TF-80C.
The first flight of this variant, Serial Number 48-356, occurred on 22 March 1948, with the ever-present Tony Le Vier at the controls.
Initially the TF-80C, S/N 48-356, was powered by an Allison J33-A-23 turbojet, later replaced by a J-33A-35 version, the former producing 2,250 Kg of thrust, the latter 2,360.
In effect, the F-80 had been conceived, produced, and developed into a two-seat capable of performing advanced training. The result was an adaptation that was functional and agreeable, with the fuselage lengthened by 96.5 cm to permit the installation of the cockpit for the second pilot.
In covering the development of the T-33 it seems opportune, albeit briefly, to list the various sub-types created as a natural evolution of definitive aircraft, although to tell the truth the most renowned version always will be the reliable T-33A, which despite retaining its official name of Shooting Star assumed later the more affectionate nickname of "T-Bird".
In merit of the various versions, we commence with the principal variant, the T-33A, in practice Lockheed's base model and the most appreciated trainer, not only amongst the units of the USAF, but in nearly all the other air arms of the world, the Aeronautica Militare included. It was the most requested aircraft, and that most suited to dealing with many flying roles, not all, as we will see, not only concerning training: it was a true multi-role machine. The construction of 5,691 examples, produced over a decade, began in May 1949 and ceased in August 1959, permitting the type to be delivered to some thirty-six nations, while a large number of the same version were assembled in Japan by the famous Kawasaki company (1955-58),

Interessante particolare del tettuccio di un Lockheed T-33A della Scuola Turbogetti di Amendola. L'immagine mostra nell'abitacolo posteriore, riservato all'Allievo, come vi sia il tettuccio munito di una bianca "tendina" scorrevole, utile per addestrare lo stesso, una volta distesa, al volo strumentale (Foto N. Pignato)

An interesting detail of the canopy of a T-33A of the Scuola Aviogetti. The shot shows the rear cockpit, occupied by the student, with the canvas blind used by the student during simulated instrument flight

Il turbogetto ad azione centrifuga del T-33A, l'Allison J33-A-35 da 2.700 kg/spinta (Foto Arch.dell'Autore)

The centrifugal axis turbojet of the T-33A, the Allison J33-A-35 with 1.180 Lbs/s.t.

numero della stessa versione venne assemblato in Giappone, dalla famosa ditta Kawasaki (1955-58), attraverso una consistente fornitura di parti di ricambio, giunte espressamente dalla Lockheed di Burbank.
La versione T-33B, nata anche come Sea-Star (Stella del Mare), era stata realizzata per le forze dell'U.S.Navy e per il Marine Corp, anche se ufficialmente questo progetto aveva assunto una diversa sigla, dapprima T0-2, poi TV-2 (Prototipo T3V-1), ma nonostante la realizzazione di 149 esemplari di Sea Stars, l'aereo non ebbe eccessive fortune in campo marino, tanto che le...."Stelle di Mare" finirono per svolgere attività terrestri!
Il Modello T-33C, rimasto praticamente in fase di studio e progetto, se realizzato su larga scala avrebbe dovuto rivoluzionare un po' la struttura e le caratteristiche dei tradizionali e più familiari T-33A, giacché si trattava di esemplari di serie modificati, con l'adozione di due turbogetti al posto di quello singolo. Tale versione era stata proposta all'aviazione giapponese, che in pratica non prese molto in considerazione l'opportunità di realizzarlo in massa.
La versione AT-33A, conosciuta anche sotto l'indicazione di TF-33A, conservava nel complesso le caratteristiche tecniche e le funzioni operative dell'F-80. Costruita agli inizi degli anni cinquanta, tale versione risultava armata con due o sei mitragliatrici Colt Browning Mk.2, calibro 0,50 di pollici (pari al nostro 12,7 mm), armi installate nella parte anteriore della fusoliera, nel vano di prua. L'armamento di caduta si componeva di carichi sub/alari, per bombe convenzionali G.P. (General Purpose – Uso Generale), le tradizionali dell'USAAF /USAF da 250 e 500 libbre e l'aggiunta di adattatori sub/alari per razzi aria/terra del tipo HVAR da 5 pollici, agganciabili 5 per parte.
Gli esemplari della versione DT-33A furono realizzati nel pieno degli anni cinquanta, per accogliere essenzialmente apparecchiature adatte alla guida e al controllo dei bersagli teleguidati.

Con la nuova sigla "SA" in fusoliera, mutarono anche le posizioni e le caratteristiche dei Serial Numbers all'americana, riportando i codici col sistema italiano, riferito alla Matricola Militare e al tipo del velivolo, stampigliati sul terminale di fusoliera, sotto l'ombra dei piani orizzontali di coda (Foto Arch. dell'Autore)

With the introduction of the "SA" code prefix, the position and style of the Serial Numbers underwent a radical change away from the classic American style, becoming typical Italian and similar to the Matricola Militare, painted, along with the aircraft type, in miniscule lettering under the horizontal stabiliser

with a major supply of parts from the Lockheed facility at Burbank.
The T-33B version, known also as Sea-Star, was developed for the air arms of the U.S.Navy and Marine Corps, although the variant was initially allocated a different designation, first T0-2, and later TV-2 (the prototype was the T3V-1), but despite the production of 149 Sea Stars, the aircraft did not have much luck in the naval field, with the 'Star of the Sea' ending its career engaged in land-based activities!
The T-33C model, which stalled at the study and design phase, would, if produced on a large scale, have revolutionised the structure and characteristics of the traditional and familiar T-33A. The version would have been produced by modifying 'normal' T-33A, with their single jet engines being replaced by adoption of a pair. This version was offered to the Japanese Air Self Defence Force, but the service gave little consideration to the opportunity to mass-produce the version.
The AT-33A variant, also known under the TF-33A designation, retained within its configuration the technical characteristics and operational functions of the F-80. Constructed at the beginning of the fifties, this version was armed with two or six Colt Browning Mk.1 1/2" machineguns installed in the prow bay in the forward fuselage. The aircraft could mount underwing stores, including G.P. bombs (General Purpose), the traditional USAAF/USAF 250 and 500 pound ordinances, and with the addition of attachment points could accept HVAR 5" air-to-surface rockets, with five on each rack.
Some examples of the DT-33A were produced during the mid-fifties, being essentially platforms destined to house the electronics required to control and direct remote controlled target aircraft. A further modification to this variant produced the DT-33B, an aircraft used for the testing missile guidance systems. From this basic technology the DT-33C was conceived, a reworking of the DT-33B, which through modification and conversion was destined to serve as an aerial target.
Particular mention must be made, obviously, of the RT-33A, the clas-

Il DT-33A, versione modificata rispetto al precedente tipo, era stato realizzato per sperimentare anche la guida dei missili. Da questa base tecnica nacque anche il DT-33C, una rielaborazione del DT-33B, attraverso opportune modifiche e trasformazioni, destinato all'impiego e alle funzioni di bersagli teleguidati.
Una citazione particolare la meritano, ovviamente, gli RT-33A, i classici monoposto da ricognizione aerofotografica, usati in modesto numero anche dall'Aeronautica Militare. Tale versione derivava in effetti dalla più comune serie del T-33A, con la soppressione del secondo abitacolo posteriore, ma più che altro l'aereo riportava le sembianze e le caratteristiche della prua adottata dall'RF-80, anche questo destinato al servizio della ricognizione aerofotografica.
Quale ultimo sviluppo di serie merita una citazione il CL-30 Silver Star (Stella d'Argento), prodotto in 656 esemplari dalla Canadair. La ditta canadese, infatti, realizzò due versioni principali, la Mk.2 e la Mk.3, meglio conosciuti come T-33A/N, in pratica dei comuni T-33A di serie, potenziati, però, con un propulsore inglese, un Rolls Royce "Nene 10" da 2.315 Kg/spinta.
Nel citare i cosiddetti "derivati", dobbiamo ricordare anche il T-1A, chiamato ancora una volta Sea Star, ex T2V-1; un addestratore destinato all'U.S.Navy, con posti in tandem, scalati, capace di operare tanto dalle portaerei che da comuni campi terrestri. Costruito in 149 esemplari, il T-1A ebbe comunque una vita operativa non eccessivamente lunga e fortunata. Infatti, realizzato fra il 1954 e il 1958, operò i maniera discontinua e per un tempo assai limitato.
Come ultima creazione citeremo obbligatoriamente il famoso, elegante F-94 Starfire, uno fra i primi Caccia Ogni Tempo dell'USAF,

Un atterraggio forzato, senza carrello, per l'esemplare "SA-331". Probabile errore di qualche giovane Allievo ai suoi primi cimenti! (Foto Arch. dell'Autore)

A wheels-up landing for "SA-331"...probably an error by a young student during his first jet mission!

Interessante immagine di un Lockheed T-33A ripreso sul lastricato delle classiche grelle Made in USA, presenti soprattutto in quell'epoca negli aeroporti italiani (Foto R. Sgarzi)

An interesting shot of a Lockheed T-33A parked on the classic American Pierced Steel Planking which at the time was characteristic of many Italian airfields

Un volo da solista per il S.Tenente Pilota Ugo Squarciafichi, sull'e-semplare ST-141 (Foto U. Squarciafichi)

Another solo mission for S. Ten. Pilota Ugo Squarciafichi

Decollo in coppia per Lockheed T-33A dalla base di Amendola. Sul velivolo ST-124 vola il S. Ten. Pilota Ugo Squarciafichi, al suo primo decollo da solista (Foto U. Squarciafichi)

Takeoff for a pair of Lockheed T-33A from Amendola airbase. In aircraft ST-142 is S. Ten. Pil. Ugo Squarciafichi, making his first solo jet flight

Bella immagine di un T-33A della 5^ Aerobrigata in atterraggio sulla base di Rimini. Esemplare con M.M.51-9140 (Foto M. Delmagno)

An interesting shot of T-33A M.M.51-9140 landing at its base at Rimini Miramare

Particolare ravvicinato della prua di un T-33A della Scuola Addestramento Aviogetti di Amendola. Il tubo di Pitot del celebre addestratore era stato fissato sotto la prua del velivolo, ben visibile con la sua cappottina rossa, munita di bandierina dello stesso colore, le classiche, con la scritta "Remove Before Flight" = Rimuovere Prima del Volo (Foto Arch. dell'Autore)

Close-up of the nose of a T-33A of the Scuola Addestramento Aviogetti. Note the pitot tube under the nose, covered with the classic red cover canvas with a read flag featuring the unforgettable words "Remove Before Flight"

costruito in ben 854 esemplari, su tre differenti versioni (116 F-94A, 357 F-94B e 378 F-94C). Designato originalmente come C-97A, lo Starfire (prototipo YF-194), era nato dall'estrapolazione del primo dei TF-80C, Serial Number 48-356.

I primi reparti ad essere equipaggiati di Lockheed T-33 furono naturalmente quelli dell'USAF, in numero piuttosto massiccio, dove gli aerei rimasero in attività fino a circa metà degli anni sessanta. Pur se sostituiti nell'impiego di addestratori classici dai più idonei Trainers dell'epoca, come il Northrop T-38 Talon, i T-33A di Jrv Culver continuarono a volare ed operare ancora con le insegne dell'USAF per molto tempo, se non altro per servizi di collegamento interno, sulle brevi e le lunghe distanze svolgendo anche servizio di meteorologia e talvolta utilizzati per la ripresa dei voli di diversi nuovi piloti assegnati ai reparti da caccia.

Interessante inquadratura posteriore di un T-33A della Scuola Aviogetti (Foto Arch. dell'Autore)

Interesting rear view of a T-33A of the Scuola Aviogetto

sic single-seat photographic reconnaissance version, also used in modest numbers by the Aeronautica Militare. This version was, in effect, derived from the basic T-33A, with the removal of the rear cockpit, the aircraft taking a marked resemblance to the nose profile adopted by the RF-80, this version also destined to perform the reconnaissance role.
One final series version of the type was the CL-30 Silver Star, of which a total of 656 examples were produced by Canadair. In fact, the Canadian company constructed two main variants, the Mk.2 and Mk.3, better known as the T-33A/N, in practice basic series T-33A powered, however, by a British engine, the Rolls Royce "Nene 10", producing 2,315 Kg of thrust.
In examining the so-called 'derivatives', the T-1A, also known as the Sea Star, and formerly the T2V-1, is also worthy of mention; this trainer was produced for the U.S.Navy, with staggered tandem seating, capable of flying off carriers as well as from land airfields. The 149 examples built did not have a very long or successful operational life. Built between 1954 and 1958, they were used in a limited and sporadic manner.
Mention must be made of the ultimate development of the airframe, the famous and elegant F-94 Starfire, one of the first all-weather fighters of the USAF, built in some 854 examples, and in three different versions (116 F-94A, 357 F-94B and 378 F-94C). Originally designated the P-97A, the Starfire (prototype YF-194), was a redevelopment of the first TF-80C, Serial Number 48-356.
The first units to be equipped with the Lockheed T-33 were naturally those of the USAF, receiving a significant number of aircraft which remained in use until the middle of the sixties. Despite being substituted in the training role by the more appropriate trainers of the era, like the Northrop T-38 Talon, "Kelly" Johnson's T-33A continued to fly in USAF insignia for some considerable time, providing internal communication over short and long distances, performing weather reconnaissance, and often used to reintroduce pilots newly assigned to fighter units to the art of flying jet fighters.

Un T-33A con le insegne della 2^ Aerobrigata.... munito ancora del vecchio Serial Number statunitense (Foto Arch. dell'Autore)

A T-33A of the 2^ Aerobrigata, with USAF Serial Number

Intenso addestramento di Lockheed T-33A della Scuola Turbogetti di Amendola. Sull'esemplare ST-603 appaiono l'istruttore e l'allievo. Sul secondo, defilato, il S. Ten. Pil. Ugo Squarciafichi (Foto U. Squarciafichi)

Intense training for the Lockheed T-33A of the Scuola Aviogetti of Amendola. Aircraft ST-603 carries an instructor and student, while the second is flown solo by S. Ten. Pil. Ugo Squarciafichi

Un'altra immagine, a colori, dell'esemplare "51-88" in atterraggio sull'aeroporto d'Istrana (Foto C. Genta)

Another image, in colour, for T-33A "51-88", landing at Istrana airfield

Atterraggio sulla base di Grosseto per un T-33A del 4° Stormo (esemplare 4-576 – M.M. 51-6576), un vecchio biposto assegnato all'A.M. nell'ottobre del 1952! (Foto Arch. dell'Autore)

Landing at Grosseto for a T-33A is a 4°Stormo (4-576 - M.M.6576), one of the first aircraft assigned to the A.M. during the October 1952

L'elegante figura di un Lockheed T-33A (M.M.51-8936) del 5° Stormo di Rimini in atterraggio sulla propria base (Foto C. Genta)

The elegant image of Lockheed M.M.51-8936 of the 5° Stormo landing at its Rimini base

Aeroporto di Cameri (Novara). Lockheed T-33A della 653^ Squadriglia Collegamenti del 53°Stormo. Esemplare "53-26" – M.M.51-17536 (Foto Arch. Moggia)

A Lockheed T-33A of the 653^ Squadriglia Collegamenti - 53° Stormo, "53-26" – M.M.51-17536 photographed at its home base of Cameri (Novara)

Uno dei Lockheed RT-33A della 651^ Squadriglia Collegamenti e Bersagli atterra sulla base di Decimomannu al termine di una esercitazione di traino-bersaglio (Foto C. Toselli)

One of the Lockheed RT-33A operated by the 651^ Squadriglia Collegamenti e Bersagli lands at Decimomannu after an air-to-air weapons training mission

Particolare del terminale di fusoliera per un T-33A, con la posizione della Matricola Militare all'italiana e la svettante deriva, sulla quale appare il celebre distintivo della "Fenice", il cui motto latino, non riportato nell'insegna, era il seguente: Primo Avolso Non Deficit Alter - Benché se ne strappi uno non ne manca un altro! (Foto Arch. dell'Autore)

Close-up of the rear fuselage of T-33A, with new Matricola Militare in Italian style. The unit insignia is clearly visible, the "Pheonix", accompanied by the Latin motto: Primo Avolso Non Deficit Alter - Even if you break one, another will arise

Il simpatico quanto utilissimo "portabagagli" dei Lockheed T-33A, posizionato ai ganci dei razzi Jato, artifizi in verità mai utilizzati nei reparti dell'A.M. (Foto Arch. dell'Autore)

The familiar and useful baggage container of the T-33A, located on the Jato Rocket support, a system never used by Italian units

Lockheed T-33A con le insegne della 3^ Aerobrigata. Trattasi di un insolito tipo cosiddetto "antartico", caratterizzato da un colore rosso scarlatto sul terminale di fusoliera, deriva compresa e le taniche alari. Per poter applicare la regolamentare coccarda italiana si rese necessario creare un cerchio bianco attorno alla stessa (Foto Arch. dell'Autore)

A T-33A of the 3^ Aerobrigata with an unusual red "antarctic" paint scheme. To accommodate the roundel, a white circle had to be painted over inside areas

Particolare del terminale di fusoliera di un T-33A (Serial Number 55-3075) con le insegne della 3^ Aerobrigata. Il particolare denota il colore scuro, in realtà rosso fuoco, riportato sui terminali (Foto Arch. dell'Autore)

Detail of the rear fuselage of a 3^ Aerobrigata T-33A: the dark colour is fire red!

I LOCKHEED T-33A IN ITALIA

La comparsa dei primi Lockheed T-33A in Europa si rese concreta inizialmente in Germania, dove all'epoca sussisteva il cuore delle divisioni ideologiche, nonché, soprattutto quelle politico-militari, attraverso i due memorabili blocchi dell'Est e dell'Ovest. La fornitura di questi velivoli consentì ai tedeschi una specie di "risveglio", sia pure in parte e fin dall'inizio in misura assai modesta, a quella che era stata la più potente Aviazione del Mondo, la Luftwaffe, ora etichettata Bundesluftwaffe.

Ancor prima che i T-33A facessero la loro comparsa in Germania, una buona parte di piloti della giovane e rinnovata Aeronautica Militate tedesca, tra questi numerosi veterani dell'Aviazione hitleriana, si erano addestrasti negli Stati Uniti d'America, soprattutto per formare la necessaria e ben nutrita schiera degli istruttori germanici. Negli States venivano inviati anche dei piloti italiani, mentre con la presenza dei T-33A dell'USAF sull'aeroporto tedesco di Furstenfeldbruck (West Germany), gli istruttori americani riuscirono ad addestrare in due anni ben 1.200 piloti di sedici nazioni diverse, attraverso impegnativi corsi istruzionali, teorici e pratici, dalla durata di 6 mesi. Dopo una prima aliquota di piloti dell'A.M., inviata negli Stati Uniti, altri piloti della nostra Aeronautica Militare furono fatti affluire in Germania, perché proprio agli inizi degli anni cinquanta stava cominciando anche per noi l'era dei velivoli a "getto", con l'assegnazione dei primi Republic F-84G "Thunderjet" (1952). Alcuni dei nostri

Lockheed T-33A della 651^ Squadriglia Collegamenti e Bersagli del 51°Stormo in volo addestrativo sull'arco stupendo delle Dolomiti (Foto M. Petrizzo)

Lockheed T-33A of 651^ Squadriglia Collegamenti e Bersagli of the 51° Stormo training over the fantastic Dolomites

The Lockheed T-33A in Italy

The appearance of the first Lockheed T-33A in Europe would take place initially in Germany, where at the time the focus of ideological divisions, above all politico-military, was in existence, identified by the two memorable blocks of East and West. The supply of these aircraft allowed the Germans to undergo a renaissance, although initially in a modest form, of what had been the most potent air arm in the world, the Luftwaffe, now known as the Bundesluftwaffe.
But, even before the T-33A made its first appearance in Germany, a large number of the pilots from the young and rejuvenated German air force, amongst these many veterans of the Nazi service, were under training in the United States of' America, above all to serve as the nucleus of an essential and significant force of German flying instructors. Italian pilots were also sent to the States, while with the use of USAF T-33A at Furstenfeldbruck airfield (in West Germany), the American instructors managed to train over 1,200 pilots from six different nations over two years through demanding instructional, theoretical, and practical courses lasting some six months. After an initial batch of A.M.I. pilots had been sent to the United States, other Aeronautica Militare pilots were posted to Germany, as the start of the fifties signified for the Italians entry into the jet-age, with the assignment of the first Republic F-84G "Thunderjet" (1952). Some of the Italian aircrew were sent to the airfield at Neubiberg (Munich) to undergo conversion directly onto the "Thunderjet", the programme for which

Aeroporto di Decimomannu (Cagliari): un Lockheed RT-33A della 636^ e un T-33A della 651^ Squadriglia Collegamenti e Bersagli. In primo piano l'esemplare "36-36", nella sua caratteristica colorazione arancione. Gli aerei erano utilizzati per il traino manica, al fine di addestrare i piloti dell'A.M. a bordo soprattutto di F-86K e FIAT G.91T (Foto Arch. dell'Autore)

Decimomannu airfield (Cagliari): a pair of Lockheed, an RT-33A from the 636^ and a T-33A of 651^ Squadriglia Collegamenti e Bersagli during the annual air-to-air weapons training camps for pilots of F-86K and FIAT G.91T units

Durante l'intensa attività addestrativa presso le Scuole di Volo i Lockheed T-33A venivano assegnati anche alle Squadriglie Collegamenti degli Stormi, che li impiegarono a lungo e per tutte le esigenze dei reparti di prima linea. L'immagine mostra un esemplare del 1°Stormo COT, nato ufficiosamente nell'autunno del 1955 (Foto Arch. dell'Autore)

During its service with the Scuola Aviogetti, the Lockheed T-33A was also assigned to the Squadriglie Collegamenti (liaison flights) of many Italian units, being used for a wide variety of support missions. The picture shows an aircraft with the insignia of the 1° Stormo COT, formed during the autumn of 1955

piloti si trovavano sulla base di Neubiberg (Monaco di Baviera), per effettuare la transizione proprio sui "Thunderjet", il cui programma prevedeva anche l'abilitazione al volo strumentale sul T-33A, aerei appartenenti alla Squadriglia Strumentale dell'86th F.B.W. e fu proprio uno di questi addestratori che il 31 Gennaio del 1952, di sera, atterrò sull'aeroporto di Treviso S.Angelo, sede del 51° Stormo C.B., portando a bordo, nell'abitacolo posteriore, il Maggiore pilota Dino Ciarlo, ufficiale del 21° Gruppo C.B., futuro Capo di Stato Maggiore dell'A.M.. il Comandante Dino Ciarlo era stato costretto a raggiungere d'urgenza la base trevigiana, portato da un ufficiale pilota americano, perchè il figlioletto Alessandro, di tre anni, era stato ricoverato d'urgenza in ospedale per un improvviso intervento di appendicite acuta.

Nessuno del 51° Stormo Caccia dimenticherà mai quel meraviglioso T-33A dell'USAF, con la sua tenuta Silver Metal, un autentico specchio, che ci lasciò piacevolmente stupiti e sorpresi. Personalmente e con me tantissimi del "Gatto Nero", era la prima volta che vedevo e vedevamo un velivolo a reazione da vicino e tale novità mise un po' di festa e di curiosa allegria in tutta la base del trevigiano....noi che eravamo abituati, quasi rassegnati, ad operare con gli ormai sfiancati e i poco affidabili Republic P-47D "Thunderbolt", dalla mole possente, tutt'altro che snella ed elegante come ci appariva il bel T-33A, rimasto fermo per qualche giorno sul piazzale antistante l'hangar della SRAM. Quell'aereo a reazione fu un'anticipazione nei riguardi di altri velivoli, non dei T-Bird ma dei Gloster Meteor della RAF, pro-

Lockheed T-33A con le insegne della 5^ Aerobrigata in atterraggio sulla propria base. Esemplare con probabile M.M.52-2898 (Foto S. Bustacchini)

A Lockheed T-33A with the insignia of 5^ Aerobrigata landing at its home airbase. The aircraft is probably M.M.52-2898

also included instrument qualification of the T-33A, using aircraft belonging 86th F.B.W. Instrument Flight. It was one of these trainers that in the evening of 31 January 1952, at Treviso S.Angelo airfield, home of the 51°Stormo C.B., arrived with, in the rear cockpit, Maggiore pilota Dino Ciarlo, an officer of the 21°Gruppo C.B. and future Capo di Stato Maggiore of the A.M. Comandante Dino Ciarlo had been forced to urgently return to the Treviso base, flown by an American officer pilot, as his three-year old son, Alessandro, had been rushed to hospital for an urgent operation on an acute appendicitis.
No one of the 51°Stormo Caccia will ever forget that marvellous USAF T-33A with its gleaming all-metal mirror finish, which left the personnel pleasantly amazed and surprised. Personally, and for many others of the "Gatto Nero", it was the first encounter at close hand with a jet powered aircraft, and the novelty provoked a curious air of festivity and hope throughout the Treviso base, used as we were, almost resigned, to operating the now exhausted and unreliable Republic P-47D "Thunderbolt". Although the Thunderbolt was an impressive machine, it was anything but the sleek and elegant T-33A, which stayed for a few days, parked outside the hangar of the SRAM. The aircraft was a precursor to the arrival of more jets, this time not T-Birds, but Gloster Meteor of the RAF, probably NF.11 night fighters, which arrived at Treviso in the September of the same year during one of the first Exchange Rotations. On this occasion it would be a one way exchange, as it would be the British who would come to Italy, while the Italians, given the technical capability of the "Thunderbolt" and the

La prua di un RT-33A aperta dal cappottane incerneriato sul davanti. Il vano mostra l'assenza delle macchine altimetriche, compensate nel peso da apposita zavorra (Foto C. Toselli)

The nose of an RT-33A with its photographic equipment, compensated by the installation of ballast

Uno dei Lockheed RT-33A del Centro Tiri di Decimomannu, con codici di fusoliera "CT-31" (Serial Number 53-5631), nella sua splendida tenuta arancione (Foto G.Tarlao)

One of the Lockheed RT-33A from Centro Tiri at Decimomannu, with buzz number "CT-31" on the fuselage. The aircraft, Serial Number 53-5631, wears the essential "bright orange" colours!

Aeroporto di Grazzanise (Caserta). Un esemplare di T-33A della 609^ Squadriglia Collegamenti del 9° Stormo (Foto Arch. dell'Autore)

At Grazzanise airfield (Caserta). Lockheed T-33A of the 609^ Squadriglia/9° Stormo

Un T-33A del Sezione Standardizzazione al Tiro di Decimomannu, che utilizzava anche i biposto per compiere missioni di traino bersagli. Esemplare con M.M.54-1602 (Foto Arch. dell'Autore)

A Lockheed T-33A of the Sezione Standardizzazione al Tiro at Decimomannu. The Centre in Sardinia also used the two-seater for air-to-air weapons training

imagination of the Italian Air Force, was not capable of appearing in the skies of "Albion"! The arrivals of the first T-33A for Italy occurred between July and September of 1952. In fact, period documents state that examples 51-4514 and 51-4418 were assigned respectively in the July and September respectively.
Throughout the year the Aeronautica Militare would operate some four examples. A much more consistent number would be delivered during 1953, with 38 aircraft arriving: 1954 saw a reduced total accepted, and deliveries subsequently progressively reduced.
The aircraft were ferried to the Amendola airfield, near Foggia, already home to the Nucleo Addestramento Volo a Reazione (A.M.I. Jet Flying Training Unit), which for some time had been operating the single seat version of the Havilland D.H.100 Vampire", which was, in practice, the first jet aircraft to serve with units of the Aeronautica Militare. All the T-33A present at Amendola retained the TR "buzz number" prefix on

babilmente degli F-11, giunti a Treviso nel Settembre dello stesso anno, in occasione dei primi Squadron Exchange, ma in senso unico, in quanto furono gli inglesi a venire in Italia, senza che i "Thunderbolt" osassero avventurarsi, per capacità tecnica e per immagine dell'Arma italiana nei cieli d'Albione!
L'arrivo dei primi Lockheed T-33A in Italia ebbe inizio tra il mese di Luglio e quello di Settembre 1952. Infatti i documenti dell'epoca ci riportano che gli esemplari immatricolati 51-4514 e 51-4418 furono assegnati rispettivamente durante Luglio e Settembre di quell'anno. In pratica in quel 1952 l'Aeronautica Militare ebbe quattro esemplari. Molto più consistente la fornitura per l'anno 1953, trentotto esemplari. Poi fornitura ridotta nel 1954 e cosi via.
Gli aerei raggiunsero la base foggiana di Amendola, già sede del Nucleo Addestramento Volo a Reazione dell'A.M., operante da qualche tempo con i de Havilland D.H.100 Vampire, versione monoposto, praticamente i primi velivoli a getto nei reparti della nostra Aeronautica Militare. Tutti i T-33A presenti ad Amendola conservavano le lettere TR sulla parte anteriore della fusoliera, su ambedue le fiancate, seguita da tre numeri, in pratica le ultime tre cifre della vistosa Matricola Militare USAF, impressa sulla deriva. Ricordiamo al lettore, più che altro al profano, che la "lettura" dei Serial Numbers dell'USAF è molto semplice e razionale. Le prime due cifre, anche se di queste ne appare una sola, per i T-33A i numeri "1", "2", "3", ecc., dovevano intendersi preceduti dal 5, per indicare gli anni 1951/1952/1953 e cosi via; tali riferiti all'FY (Fiscal Year), vale a dire l'anno finanziario nel quale erano stati stanziati i fondi per la costru-

Lockheed T-33A con le insegne della 6^ Aerobrigata. Esemplare con Serial Number 55-3070, avente le stesse caratteristiche di quelli assegnati alla 3^ A/B: un "antartico", con colorazione rosso fuoco sul terminale di fusoliera, deriva e serbatoi delle estremità alari (Foto Arch. dell'Autore)

A Lockheed T-33A carrying with the insignia of the 6^ Aerobrigata and Serial Number 55-3070. It wears an "antarctic" type colourscheme

both sides of their forward fuselage, followed by three digits, in practice the last three numbers of the USAF serial number, which has highly visible on the vertical tail. Readers are reminded that the system of USAF serial numbering is very simple and rational. The first two digits of the serial number represent the Fiscal Year during which the funds were allocated for the aircraft to be ordered: when painted on the T-33A the number "5", for 1951, was discarded, and thus the numbers “1”, “2”, “3”, etc represent the years 1951/1952/1953 and so on. The following four numbers were a progressive number allocated in sequence at the beginning of each Fiscal Year, and commencing with 0001, the combination of Fiscal year prefix and progressive number forming the military serial.
Later on, as we will examine, above all through the photography, the Italian T-33A adopted the style of presentation more usual within the Aeronautica Militare, with the serial and aircraft type designation stencilled in small letters on the rear fuselage, under the shadow of the stabilisers. For the RT-33A, serial presentation would, however, remain in the original style of the USAF, painted in large letters on the fin. The first example of the sixteen RT-33A destined to serve with the Aeronautica Militare appeared in January 1955. In this case, however, these excellent single seat versions were not new, having served with various forces, one with the Greek air force and eleven with the Turkish, while the 13th, delivered in 1968, had been with the Norwegian air force. The remaining three came from the USAF.
The initial presence and flying activity undertaken by Italian pilots, instructors and students, on the Amendola T-33A was reduced to a period of eleven months, as at the end of 1953 the Nucleo Addestramento was transferred north from Puglia, moving to the airfield at Montichiari, near Brescia, as Amendola required the lengthening of its runway to support the operations of more powerful jet aircraft. It is also noteworthy that the first examples of the T-33A assigned to the Aeronautica Militare, besides retaining their USAF codes, were additionally not fitted with the wingtip supplementary fuel tanks, which normally feature in pictures of the celebrated trainer.
Many of the aircraft had arrived in Italy with highly visible U.S.AIR FORCE titles, sten-

Lockheed T-33A con le insegne della 51^ Aerobrigata. Esemplare con Serial Numner 54-2950, del tipo “antartico” (Foto Arch. dell’Autore)

Lockheed T-33A Serial 54-2950 carries the markings of the 51^ Aerobrigata and “antarctic” type colour

Lockheed T-33A della 651^ Squadriglia Collegamenti e Bersagli del 51° Stormo in volo addestrativo sull'arco stupendo delle Dolomiti (Foto M. Petrizzo)

Lockheed T-33A of 651^ Squadriglia Collegamenti e Bersagli of the 51° Stormo training over the fantastic Dolomites

Lockheed RT-33A della 609^ Squadriglia Collegamenti del 9° Stormo. Esemplare con Serial Number 53-5587. Tale unità non disimpegnava il compito del traino bersagli, ma manteneva il classico colore arancione per una maggiore visualizzazione durante gli addestramenti all'intercettazione da parte dei piloti di F-104S (Foto Arch. dell'Autore)

A Lockheed RT-33A of the 609^ Squadriglia Collegamenti, 9° Stormo, aircraft 53-5587. The trainer wears the classic "bright orange" colourscheme offering higher visibility during interception by F-104S pilots

Lockheed T-33A con le insegne della 4^ Aerobrigata- esemplare 51-17454 (Foto Arch. dell'Autore)

A Lockheed T-33A with the insignia of the 4^ Aerobrigata, Serial Number 51-17454

Un T-33A del 5° Stormo Caccia in atterraggio sulla base di Rimini. Esemplare con M.M.51-6576 (Foto C. Genta)

Lockheed T-33A M.M.61-6576 lands at Rimini air-base

cilled on the centre fuselage sections, and it would take a great deal of detergent, patience, and good will, with the addition of the always useful elbow grease, to cancel out the letters. Other aircraft had the forward and rear fuselage, fins, and stabilisers painted in bright scarlet, with an aluminium rectangle on the fin containing the highly visible Serial Number painted in black, normally formed by five digits. This colourscheme was not new to the personnel of the A.M., as it was already present on the Republic F-84G "Thunderjet" assigned to some units. This was the classic 'Arctic' colourscheme used by the USAF on aircraft destined to serve in the extreme north of the United States or over snowfield areas, where the high visibility would facilitate identification over white-coloured terrain. To enable the Italian tricolour roundel to be applied to the 'fire red' extremes of the fuselage it was necessary to paint a white border around the roundel, or, more permanently, to strip the red paint back to the natural metal finish over an area wide enough to contain the outer red ring of the Italian coccarde.

Scorcio della cabina di pilotaggio di un RT-33A del 51° Stormo (Foto M. Russolillo)

A view of the cockpit of a 51° Stormo RT-33A

zione del velivolo. Le altre quattro cifre restanti la vera e propria Matricola Militare o Serial Number che dir si voglia.

Più tardi, però, come vedremo e seguiremo con cura, soprattutto attraverso l'interessante documentazione fotografica, anche per i T-33A italiani fu adottata l'immatricolazione in uso nell'Aeronautica Militare, di norma stampigliata, insieme al tipo del velivolo, sui terminali di fusoliera, sotto l'ombra dei piani di coda. Per gli RT-33A l'immatricolazione rimase invece quella originale dell'USAF, vale a dire "riportata" sulle superfici verticali della deriva. Il primo esemplare dei sedici RT-33A operanti nell'Aeronautica Militare, comparve nel Gennaio 1955, ma precisiamo che la quasi totalità di questi eccellenti monoposto provenivano, uno solo dall'aviazione greca, undici da quella turca, mentre il 13°, nel 1968, dall'aviazione norvegese. Gli altri 3 dall'USAF.

L'iniziale presenza e l'attività di volo intrapresa subito dai nostri piloti, istruttori ed allievi, a bordo dei T-33A di Amendola, si ridusse di poco superiore agli undici mesi, perchè prima della fine dell'anno 1953 il Nucleo Addestramento pugliese era trasferito al Nord, presso l'aeroporto di Montichiari, nel bresciano, in quanto la base di Amendola aveva la necessità di fare allungare la pista di decollo e di

Some of the images of T-33A featuring in this volume show the details of this simple but necessary retouching. Another curiosity was the discovery that not all the T-33A that arrived at Amendola were coded with the last three numbers of their serial number following the TR prefix, as the example on page. ..... shows an example with only two digits. Another photo, on page ...., shown the American "Buzz Number" painted on the rear fuselage section, while the U.S.AIR FORCE titles appear on the nose. From the emblem visible on the fin, it seems that this was actually an American aircraft in transit through an Italian base. The location could be the airfield at Montichiari, given the presence of heavy snowfall.
The initial activity of the first Lockheed T-33A of the Nucleo Addestramento Velivoli a Reazione at Foggia was performed in conjunction with the de Havilland D.H.100 Vampire, still present on the Puglian airfield.
With the delivery of an increasing number of aircraft to the Aeronautica Militare, above all during the years 1953-54, the Amendola-based unit was able to adopt a revised technical and training mission, specified by the Stato Maggiore [General Staff], transforming itself into the Scuole Addestramento Aviogetti [Jet Training Schools], while the Stato Maggiore fixed the training scheme to be followed by young cadets or propeller pilots posted to Amendola to undertake the necessary qualifications for flying the new fighter aircraft. Under the S.A.A., the S.A.T.T. (Scuola Addestramento Tattico e Tiro - Tactics and Weapons Training School) flew T-33A, and the S.C.O.T. (Scuola Caccia Ogni Tempo - All Weather Fighter School) operated de Havilland D.H.113/N.F.-MK.10, a twin-seat trainer used in small numbers by the unit, but at that time more than necessary in Italy, given the imminent arrival of the first all-weather fighters in Italy, which materialised in November 1955 with the arrival of the first North American F-86K, which were sent to Istrana and assigned to the reformed 1°Stormo C.O.T. of the 51^ Aerobrigata, initially structured with the 6°Gruppo,

Pronti al volo! L'RT-33A "51-80", Serial Number 53-5594, si allinea sull'asse di pista per decollare verso il punto d'incontro con i complessi contraerei della Marina Militare o dell'Esercito, per compiere la sua missione addestrativa (Foto M. Russolillo)

Ready to fly! The Lockheed RT-33A "51-80", Serial Number 53-5594, taxies prior to a mission in support of Navy or Army anti-aircraft artillery units

Un altro Lockheed T-33A del 51° Stormo – esemplare "51-87" / M.M.51-17470 – in atterraggio sull'aeroporto d'Istrana (Foto Arch. dell'Autore)

Another T-33A of 51° Stormo (aircraft M.M.51-17470 coded "51-87") landing at Istrana airfield

atterraggio. Ricordiamo inoltre che i primi esemplari di T-33A assegnati all'Aeronautica Militare, oltre a conservare l'accennata codificazione dell'USAF erano privi di serbatoi supplementari, posti alle estremità alari, come ci è sempre mostrata la configurazione del celebre addestratore.

Molti velivoli erano giunti in Italia con le vistose lettere dell'U.S.AIR FORCE, stampigliate sulla parte centrale della fusoliera, per la quale fu necessario una gran quantità di diluente, tanta pazienza e buona volontà, con l'aggiunta dell'efficace, sempre valido estratto di gomito....per cancellare il tutto. Altri velivoli mostravano i terminali di fusoliera, deriva e piani di coda compresi, dipinti di rosso scarlatto, con un rettangolo di colore alluminio, entro il quale appariva l'immancabile, vistoso Serial Number, qualcuno costituito anche da 5 cifre. Questa colorazione non rappresentava una novità per il personale dell'A.M., perché già presente in alcuni reparti dotati di Republic F-84G "Thunderjet". Si trattava della classica colorazione cosiddetta antartica, per i velivoli operanti in zone innevate nell'estremo Nord degli Stati Uniti o in altre località glaciali, per renderli più visibili sulla distesa dei campi dal bianco candore. Per far sì che sui terminali delle fusoliere di questi velivoli al "rosso fuoco" fosse possibile applicare la nostra coccarda tricolore, si rese necessario bordare la stessa con un cerchio bianco, o meglio sverniciare quel tratto, riportando il fondo dell'alluminio, attraverso un tondo che riusciva a staccare proprio il cerchio più ampio della nostra coccarda, come è noto di colore rosso. Alcune immagini di T-33A inserite nel volume mostrano dal vero questo semplice ma necessario accorgimento.

Altra curiosità fu quella di scoprire come non tutti i T-33A giunti ad Amendola mostrassero le ultime tre cifre del Serial Number, riportato accanto alla sigla TR, poichè l'esemplare raffigurato alla pag. 18 ne mostra soltanto due. Un'altra foto, alla pag. 26, mostra la codifica-

Il Lockheed T-33A "51-85" (M.M.55-3080) del 51° Stormo Caccia in volo addestrativo sullo splendido scenario delle Dolomiti (Foto Arch. dell'Autore)

Lockheed T-33A "51-85" (M.M.55-3080) training over the splendid scenery of Dolomites

Il Lockheed T-33A, "5-898" (M.M.52-9898) in atterraggio con due piloti a bordo, sulla base di Rimini (Foto S. Bustacchini)

Lockheed T-33A "5-898" (M.M.52-9898), two pilots on board, approaching Rimini

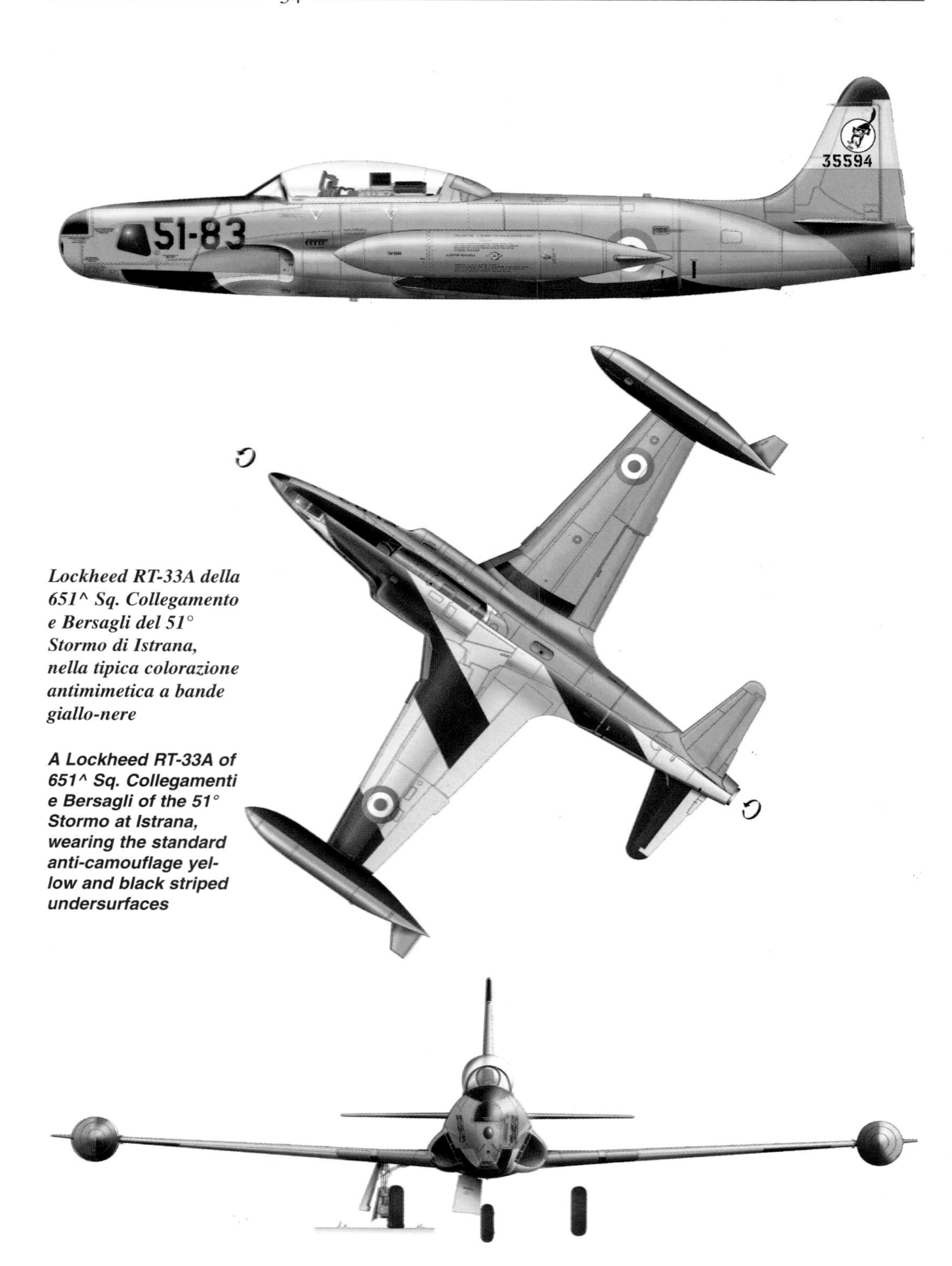

Lockheed RT-33A della 651^ Sq. Collegamento e Bersagli del 51° Stormo di Istrana, nella tipica colorazione antimimetica a bande giallo-nere

A Lockheed RT-33A of 651^ Sq. Collegamenti e Bersagli of the 51° Stormo at Istrana, wearing the standard anti-camouflage yellow and black striped undersurfaces

Lockheed T-33A - 8° Gruppo - 14° Stormo di Pratica di Mare, utilizzato per radiomisure con la colorazione alluminio solo sulla parte centrale (fonte Storaro, IBN)

A Lockheed T-33A from the 8° Gruppo - 14° Stormo at Pratica di Mare, used for navaid calibration, and wearing its aluminium scheme only in central areas

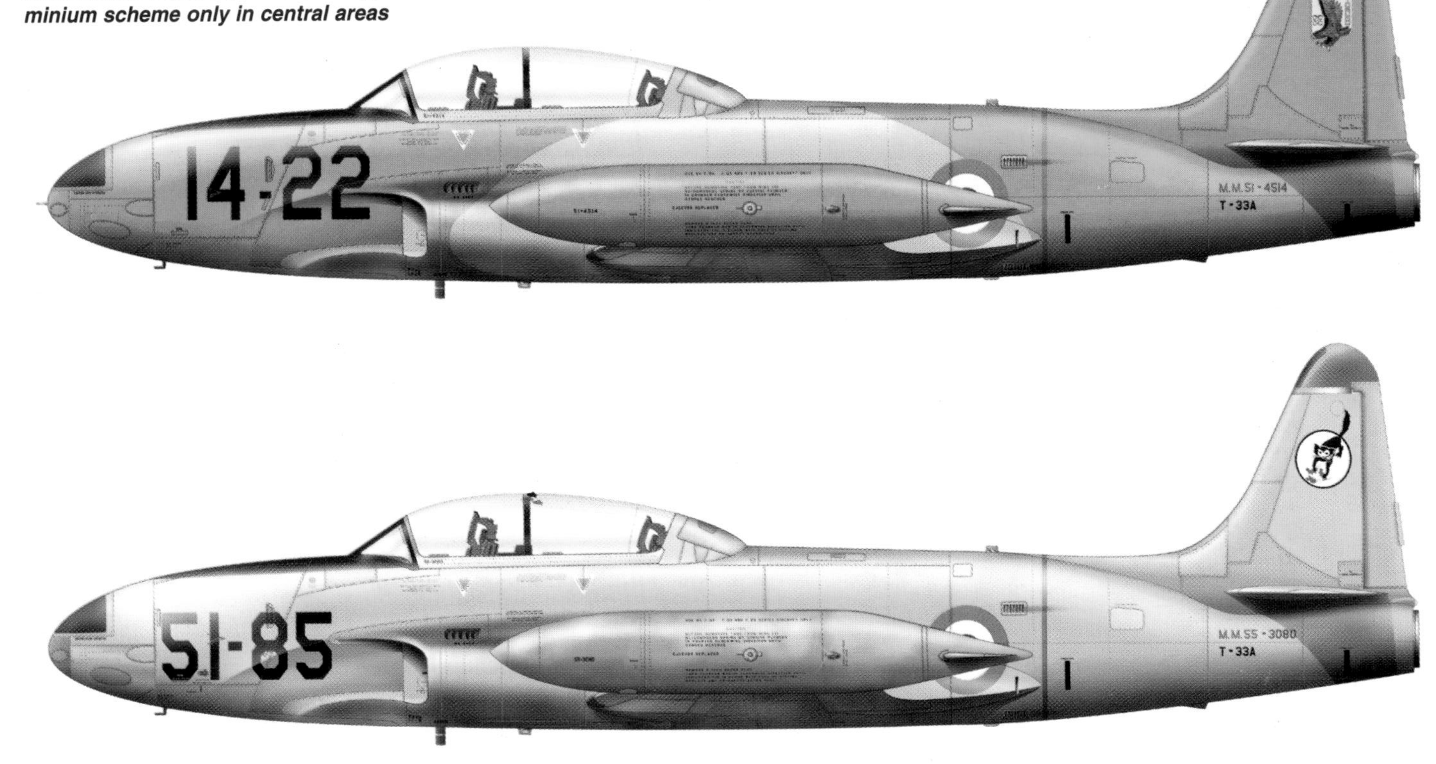

Lockheed T-33A della 651^ Sq. - 51° Stormo di base ad Istrana con la colorazione tipica dell'addestratore, serbatoi alari in arancio fluorescente e alluminio (fonte Storaro, IBN)

A Lockheed T-33A of the 651^ Sq. - 51° Stormo based at Istrana wearing typical trainer colours, overall aluminium and dayglow orange tip tanks

Un Lockheed T-33A (esemplare con M.M.51-8937) della 6^ Aerobrigata in transito sulla base della 51^ Aerobrigata d'Istrana, parcheggiato innanzi all'hangar del GEV (Foto Arch. dell'Autore)

A Lockheed T-33A (M.M. 51-8937) parked in front of the G.E.V. hangar (51^ Aerobrigata) at Istrana

zione americana impressa nella parte posteriore della fusoliera, mentre in prua appare ancora la scritta U.S.AIR FORCE. Dall'emblema visibile sulla deriva si direbbe, però, che trattasi di un vero aereo americano, probabilmente in transito sulla base italiana. L'aeroporto potrebbe essere quello di Montichiari, data la presenza del campo abbondantemente innevato.

L'iniziale attività dei primi Lockheed T-33A del Nucleo Addestramento Velivoli a Reazione foggiano venne ad affiancarsi a quella dei de Havilland D.H.100 Vampire, ancora presenti sul campo pugliese.

Con l'assegnazione di un maggior numero di velivoli all'Aeronautica Militare, avvenuta soprattutto durante gli anni 1953-54, il reparto di Amendola potè acquistare un nuovo indirizzo tecnico addestrativo, voluto dallo SMAM, trasformandosi in Scuole Addestramento Aviogetti, mentre lo stesso Stato Maggiore fissava le modalità del percorso didattico per i giovani allievi o quanti erano inviati ad Amendola per la necessaria abilitazione sui futuri nuovi aerei da caccia. Sotto le Scuole Addestramento Aviogetti la S.A.T.T. (Scuola Addestramento Tattico e Tiro) operava su T-33A e la S.C.O.T. (Scuola Caccia Ogni Tempo) su de Havilland D.H.113/N.F.-MK.10, un discreto addestratore biposto, presente in pochi esemplari presso la scuola foggiana, ma più che necessari in quel momento in Italia, data l'imminente assegnazione dei primi caccia intercettori ogni tempo all'Aeronautica Militare, evento che si concretizzò nel Novembre 1955, con l'arrivo dei primi North American F-86K, giunti a Istrana

later followed by the 17°, and then the 23°. Completing the structure of the Amendola unit was the S.C.I.V. (Scuola Centrale Istruttori di Volo - Central Instructor Training School), operating T-33A from Amendola and North American T-6 "Texan" from Foggia.
During these years, the flying activity of the Scuole Aviogetti at Amendola was very intense. The T-33A were engaged in introducing experienced propeller pilots to the art of jet flight, for the preparation of new Instructor Pilots, and for the qualification of pilots for the issue of their Instrument Flight Rules "air cards", the various colours of which indicated levels of preparedness and personal minima for I.F.R. operations.a disturbing and controversial element missing from Italian military flight operations for some decades.
The training of new-intake pilots, at that time equally intensive, given the renewal and bolstering of all the units of the A.M.I., commenced initially with the North American T-6 and FIAT G.59, the latter in both two-seat and single-seat versions, a highly formative and demanding aircraft for young aspiring pilots.
In 1955, following the entry into service of the North American F-86K, the Scuola Addestramento Tattico e Tiro assumed the important role of third level training (O.C.U.), and thus in the same year A.M.I. cadet pilots, and pilots sent for jet conversion, began to be trained to basic military pilot standard on the T-33A.
Just two years later, the Scuola Caccia Ogni Tempo was disbanded, while the S.C.I.V. assumed an autonomous status, moving to the airfield at Grottaglie (Taranto). Meanwhile, the main Amendola school regained its title of Scuola Addestramento Aviogetti, but changed again the code prefixes painted on the forward fuselage of its T-33A: no longer ST (Scuola Turbogetti), but SA (Scuola Aviogetti). Additionally, the highly visible serial numbers carried on the fins underwent a radical transformation, being removed and repainted, in miniscule Italian style, on the rear fuselage immediately below the horizontal tail surfaces, a solution which had already been occasionally used on some of the earlier ST- coded examples.
The aircraft carrying SA- prefixes continued to use a suffixes the final three digits of the American military serial.
On 15 January 1962 the Amendola training centre once again changed its designation, adopting the title of Scuola di Volo Basico Avanzato Aviogetti, but the writing was on the cards for the T-33A, at least for classic "jet training" operations. In fact, just before the end of 1964, the first FIAT G.91T arrived at Amendola, and form the August of the following year they began to replace, although slowly, the old and tired T-Birds!

Il complesso Del Mar, con vista anteriore e posteriore, installato sotto il ventre di un RT-33A. Il contenitore dei 5000 metri di filo armonico, dalla sezione di 1mm, è stato posizionato ai soliti ganci Jato, per fissare, attraverso carrucole sistemate lungo opportune strutture, "la Bomba Del Mar". Questa era impiegata per esercitazioni, non a fuoco, ma per tiri asimmetrici, in bianco, sopra unità navali di grosso tonnellaggio (Foto M. Russolillo)

Front and rear views of the Del Mar mechanism installed under an RT-33A. The container, which housed 5000 metres of 1 mm tick wire, was positioned on he Jato points, and linked to the "Bomba Del Mar" kit. This system was exclusively used for simulated weapons training by major surface units of the Marina Militare

Preparazione del Complesso Colantoni per un servizio di Traino Bersaglio. Il M.llo EMB Vittore Squarzoni si accinge a trasferire i 1500 metri di cavetto in acciaio dalla bobina in legno a quella metallica, con l'accortezza di regolare le spire nel tamburo metallico (Foto M. Russolillo)

Preparation of the Colantoni apparatus prior to a target towing mission. Maresciallo EMB Vittore Squarzoni is transferring the 1500 metre steel cable from a wooden to a metal bobbin, tightening the spirals around the drum

Particolare ravvicinato del cavetto in acciaio, teso e manovrabile sulla carrucola attraverso l'asta in verticale, per un avvolgimento corretto. Il complesso mostra il telaio ed il famoso "bicchiere", quale tranciatore secondario, in caso di mal funzionamento del primario (Foto M. Russolillo)

Close-up of the Colantoni equipment, showing the back-up towing system and the steel mounts

Complesso Colantoni pronto per essere fissato ai ganci Jato dell'RT-33A. La manica in naylon, del tipo tradizionale, a "bandiera", o "tubolare", rimaneva incartata fino a quando il pilota non decideva di aprire i ganci di sostegno e lasciarla svolgere col cavetto nel cielo (Foto M. Russolillo)

The Colantoni towing kit ready to be find to the Jato mounting point on an RT-33A. The nylon target sleeve, available in tubular or banner form, remained folded in card until the pilot decided to deploy it

e presi in carico dal ricostituito 1° Stormo C.O.T. della 51^ Aerobrigata, inizialmente organizzato con il 6°Gruppo, al quale seguì il 17° e poco più tardi il 23°. Completavano l'organigramma didattico della scuola foggiana la S.C.I.V. (Scuola Centrale Istruttori di Volo), operante con T-33A e North American T-6 "Texan".
L'attività di volo della Scuola Aviogetti di Amendola fu in quegli anni molto intensa. I T-33A venivano utilizzati per la ripresa dei voli sugli aviogetti, per l'addestramento dei nuovi Istruttori e per il conseguimento della varie "carte aeronautiche", attribuite ai piloti abilitati a volare su un dato velivolo in condizioni di voli normali o in I.F.R. - Instrumental Flight Rules - praticamente il volo strumentale.....quello che era stato la pecca più inquietante e discussa, per decenni, nel contesto operativo di tutta l'Aviazione italiana!!
L'addestramento delle giovanissime leve, in quel tempo assai massiccio, dato il rinnovamento e il potenziamento di tutti i reparti dell'A.M., avveniva inizialmente sul North American T-6 e sui FIAT G.59, versione biposto e monoposto, velivoli molto "impegnativi" e "selettivi" per i giovani aspiranti piloti.
Nel 1955, con l'entrata in servizio dell'accennato North American F-86K, la Scuola Addestramento Tattico e Tiro assumeva l'importanza di Scuola di terzo periodo e proprio in quell'anno iniziava l'abilitazione e la concessione del brevetto militare sul T-33A per gli allievi dell'A.M. o di quanti venivano inviati ad Amendola per la necessaria acquisizione. Solo due anni più tardi la Scuola Caccia Ogni Tempo era sciolta, mentre la S.C.I.V., assunta la posizione di "Autonomia", si spostava sull'aeroporto di Grottaglie. Nel contempo la Scuola principale di Amendola "manteneva" la sua definizione di Scuola Addestramento Aviogetti, ma mutava ancora una volta le sigle impresse sulla parte anteriore delle fusoliere dei T-33A: non più ST (Scuola Turbogetti), ma SA (Scuola Aviogetti). Anche il vistoso Serial Number statunitense, presente sulle derive, subiva una trasformazione radicale, poichè veniva cancellato ed impresso – all'italiana – sul terminale di fusoliera, in misura e forme ridotte, come abbiamo già detto sotto gli impennaggi orizzontali, una soluzione che era già apparsa, in anteprima su alcuni esemplari siglati ancora ST.
Gli aerei contrassegnati con la sigla SA mantenevano ancora le ultime tre cifre della Matricola Militare USAF.
Dal 15 Gennaio 1962 il centro Addestrativo foggiano mutava ancora una volta denominazione, divenendo Scuola di Volo Basico Avanzato Aviogetti, ma fatalmente la vita operativa dei T-33A, almeno nelle funzioni di "addestratori" classici, stava per aver termine. Infatti, poco prima della fine del 1964 giungevano ad Amendola i primi FIAT G.91T, che a partire dall'agosto dell'anno successivo iniziavano a sostituire, sia pure lentamente, gli ormai "vecchi" e "stanchi" T-Birds!

Un T-33A ripreso al suo parcheggio presso la 651^ Squadriglia Collegamenti, poi anche unità per il "Traino Bersagli" (Foto Arch. dell'Autore)

A T-33A parked at Istrana in the 651^ Squadriglia Collegamenti area, just after the unit took on the target towing role

Atterraggio sulla propria base d'Istrana per un Lockheed T-33A della 51^Aerobrigata. Esemplare "51-88" (M.M.51-9249). Gli aerei assegnati ai reparti operativi furono utilizzati dalle Squadriglie Collegamenti per la ripresa dei voli, per il rilascio delle varie carte strumentali, per l'addestramento all'intercettazione, diurna e notturna e per i collegamenti sulle brevi e medie distanze (Foto Arch. dell'Autore)

A Lockheed T-33A (M.M.51-9249 coded "51-88") of the 51^ Aerobrigata. T-33A assigned to front-line units were used for instrument renewal flights, night flying training, target duties, and short and medium range liaison

Il Complesso Colantoni e la sua manica avvolta in comune carta-pacchi sono stati fissati ai ganci del circuito Jato (Foto M. Russolillo)

The Colantoni equipment and target pack are fixed to the Jato mounts

Missione compiuta. L'RT-33A, rientrato alla sua base d'Istrana, mostra il tamburo completamente vuoto dei suoi 1500 metri di cavo in acciaio, sganciato ai lati dello stesso aeroporto, insieme alla manica, al fine di far controllare agli Ufficiali della Marina Militare o dell'Esercito, i risultati dei tiri (Foto M. Russolillo)

Mission complete! The RT-33A, back at base, shows the completely empty drum, as the 1500 metre cable has been dropped, together with the banner alongside the runway, where officers from Army or Navy can assess the result of their unit's work

La Bomba Del Mar", in materiale sintetico (polistirolo), fissata al suo "lanciatore" dell'ala sinistra, dalla quale inizierà a muoversi quando il pilota, in quota, azionerà l'elichetta del complesso sub-ventrale con i suoi 5000 metri di cavetto armonico di 1 mm (Foto M. Russolillo)

Close-ups of the Del Mar kit, supplied by the USAF, and used exclusively for target towing for naval units

31 Marzo 1982: la fine dei Lockheed T/RT-33A dell'Aeronautica Militare. Gli esemplari "51-85" – M.M.3080 - e "51-88" – 51-9244 – sono i soli velivoli a compiere l'ultimo volo presso il 51° Stormo, concludendo la lunga carriera di questo coriaceo addestratore…multimpiego! La foto mostra il "51-85" che sta per chiudere il tettuccio, dare motore e decollare dalla pista d'Istrana ai comandi del Magg.Pilota Mario Alessi, mentre il "51-88" lo condurrà nel cielo il Magg.Pil.Roberto Bordigato, due veterani della 651^Squadriglia Collegamenti e Bersagli (Foto Arch. dell'Autore)

Final flight for the last two T-33A of the 651^Squadriglia Collegamenti e Bersagli and for all the Aeronautica Militare. The aircraft are "51-85" – M.M.55-3080 and "51-88" – M.M.51-9244 - flown by Maj Mario Alessi and Maj Roberto Bordigato, two veterans of 51° Stormo

I LOCKHEED T-33A ED RT-33A NEI REPARTI DELL'AERONAUTICA MILITARE

Una rara immagine di un T-33A della 608^ Squadriglia Collegamento dell'8° Stormo di Cervia, esemplare "506" – M.M.51-17506 – in atterraggio sulla propria base (Foto S. Bustacchini)

A rare image of one T-33A of the 608^ Squadriglia Collegamenti - 8° Stormo's aircraft, "506" – M.M.51-17506 – on approach ot its home base at Cervia

Dopo la ristrutturazione del Nucleo Addestramento Volo a Reazione di Amendola, dotato di Lockheed T-33A, che in breve tempo soppiantarono i meno efficaci de Havilland D.H.100 Vampire, i celebri biposto americani fecero le loro iniziali comparse anche in seno ai reparti operativi dell'Aeronautica Militare, vale a dire negli Stormi, che li assegnò alle proprie Squadriglie Volo Senza Visibilità, prima definizione di quelle che negli anni avvenire divennero le preziose e indispensabili Squadriglie Collegamento e per due sole unità dell'A.M. anche Squadriglie di Traino Bersagli in volo. Di queste ne parleremo ampiamente nelle pagine seguenti.
Dapprima, agli inizi degli anni cinquanta, vale a dire subito dopo l'arrivo dei T-33A a Foggia, di T-Birds se ne videro pochi, pochissimi, in seno agli Stormi dell'A.M., i primi due esemplari presso il 1° Stormo Caccia Intercettori d'Istrana, furono portati in volo dal Magg. Pil. Carlo Tomasi e dal Cap. Pil. Luciano Merighi nel 1956. L'uno Com/te del 6° Gruppo COT, l'altro valido ufficiale dello stesso reparto. Il 1° Stormo COT/51^ A/B utilizzava i velivoli per il necessario addestramento all'intercettazione radar, imponendo al Lockheed le funzioni della lepre e all'F-86K quelle del segugio, per dirla in parole semplici, allo scopo di affinare le capacità d'inseguimento e acquisizione bersaglio da parte dei piloti intercettori, di per sè già alquanto limitate dopo l'impatto che molti di loro ebbero con il Radar di bordo del celebre Kappone.

The Lockheed T-33A and RT-33A in the units of the Aeronautica Militare

Aeroporto di Villafranca di Verona. Un T-33A della 603^ Squadriglia Collegamenti – esemplare "3-141" – M.M.51-5191 - in rullaggio sul raccordo che conduce all'ingresso pista d'involo (Foto F. Smith)

Villafranca di Verona airfield. A T-33A of the 303^ Squadriglia Collegamenti – aircraft "3-141" – M.M.51-5191 – is taxiing towards the runway

After the restructuring of the Nucleo Addestramento Volo a Reazione at Amendola, equipped with Lockheed T-33A, and which in a short time replaced the less capable de Havilland D.H.100 Vampire, the celebrated American trainer made their initial appearances amongst the operational units of the Aeronautica Militare, that is to say the Stormi, which assigned them to their Squadriglie Volo Senza Visibilità [Instrument Flights], the initial designation for what in years to come would be known as the precious and indispensable Squadriglie Collegamento [Liaison Flights]. Two of these units would adopt the designation of Squadriglie di Traino-Bersagli – Target towing flight – but this will be more widely investigated later in this monograph.

Initially, at the beginning of the fifties, that is, soon after the arrival of the T-33A at Foggia-Amendola, very few T-Birds were issued to the Stormi of the A.M., and the first two examples for the 1°Stormo Caccia Intercettori at Istrana were flown by Magg. Pil. Carlo Tomasi and Cap. Pil. Luciano Merighi in 1956. The first was commander of the 6°Gruppo COT, the second being a capable pilot from the same unit. The 1°Stormo COT/51^A/B utilised the aircraft for the essential training in radar interception, using the Lockheed trainer as the target aircraft for the hunting F-86K, a mission aimed at refining the interceptor pilots' capabilities of target detection, tracking, and acquisition, vital, given the limited experience and initial difficulties that the pilots of the

I voli a bordo dei T-33A avvenivano anche in tendina, vale a dire che il pilota in addestramento era costretto a seguire un corso preparatorio al volo strumentale (in IFR), occupando il posto nell'abitacolo posteriore, premurandosi di stendere una tendina di tela bianca sull'intero tettuccio, allo scopo di essere costretto a navigare con l'ausilio dei soli strumenti di bordo.
L'addestramento che il Colonnello Pilota Ranieri Piccolomini, Com/te il 1° Stormo COT a Istrana, impose ai suoi piloti, fu pressante e continuo, tanto di giorno che di notte, riuscendo in tal modo ad offrire una preparazione adeguata a molti giovani cacciatori assegnati al suo nuovo reparto.
Nel pieno degli anni cinquanta si è certi della presenza di T-33A in seno all'accennato 1°Stormo COT, alla 2^, alla 3^, alla 4^, alla 5^, alla 6^ e alla 51^ Aerobrigata, mentre, come chiaramente è possibile costatare, attraverso la sequenza delle immagini fotografiche, i celebri biposto furono poi presenti in seno al 9°Stormo di Grazzanise, poi nella Squadriglia Collegamenti del 53° Stormo di Novara, mentre una nota leggermente polemica ci porta a smentire alcuni disinformati, che hanno sempre asserito l'inesistenza dei T-33A in seno alla 2^Aerobrigata. La foto inserita alla pagina 35 ne conferma invece l'inequivocabile esistenza! L'immagine, infatti, ci mostra il celebre emblema del reparto, il Cavaliere Nero, impresso sulla deriva dell'esemplare contrassegnato con il Serial Number 55-2982, ciò vuol dire che l'assegnazione ci riporta ai tempi in cui non era stata ancora adottata l'immatricolazione all'italiana!
Come abbiamo già anticipato, nel corso degli anni sessanta, più esattamente a partire dal mese di Dicembre del 1964, comparvero sulla base di Amendola-Foggia i primi FIAT G.91T, per essere ovviamente assegnati alla Scuola Volo Basico Avanzato Aviogetti, Non fu che il primo atto ufficiale del "declino" dei T-33A, almeno nelle vesti di addestratore puro dell'A.M., in quanto tale disponibilità finì per arricchire le linee di volo delle Squadriglie Collegamento, dove gli aerei furono bene accetti e sfruttati a dovere. Presso tali unità i pur già "provati" T-Birds fecero di tutto: dal semplice servizio di collegamento, all'accennata ripresa voli, al rinnovo della varie "carte strumentali" e alla gioia, perché no....di sbizzarrirsi in voli acrobatici, l'intramontabile passione degli aviatori italiani! Al T-33A ben presto si erano affiancati gli RT-33A, giunti in Italia in soli 16 esemplari, il primo dei quali (Serial Number 53-5359), consegnato nel Marzo del 1955.
L'RT-33A, identico per velatura e struttura al più noto e familiare T-33A, come già detto soltanto in versione monoposto, era nato per assolvere il compito della Ricognizione Aerofotografica, essendo dotato di finestrature in prua, per l'utilizzo all'interno dello stesso vano di speciali macchine planimetriche, che a dire il vero nei reparti italiani, presso i nostri reparti, non furono mai presenti, se non in forma di necessaria....zavorra, per compensare il peso di ciò che pro-

Kappone suffered with the fighter's on-board radar. This, however, is another bitter all-Italian story!!!
Flights on board the T-33A were also made under the cockpit hood, where the pilot under training was required to follow a preparatory course for instrument flight (under IFR), occupying the rear cockpit seat, and sitting under a white canvas that covered the entire under surface of the canopy, forcing the student to fly and navigate using the instruments alone.
The training programme that Colonnello Pilota Ranieri Piccolomini, the commander of the 1°Stormo COT at Istrana, imposed on his pilots was continuous and demanding, requiring constant day and night flying in order to ensure that the many new-generation fighter pilots assigned to his unit received the most up to date and thorough preparation.
In the middle of the fifties, the presence of T-33A was widely reported with the 1°Stormo COT, 2^, 3^, 4^, 5^, 6^ and 51^Aerobrigata, while, as will clearly be displayed through our series of photographs, the celebrated trainer also served with the 9° Stormo at Grazzanise, and later with the Squadriglia Collegamenti of the 53°Stormo at Novara. A minor historical argument can be resolved, as there are those who have stated that the T-33A never carried the colours of or served with the 2^Aerobrigata. The photo inserted on page... confirms the unequivocal existence of a 2^ Aerobrigata aircraft! The picture, in fact, shows the celebrated emblem of the unit, the Cavaliere Nero, painted on the fin of the example serialled 55-2982, providing evidence that the assignment occurred in the period prior to the adoption of the Italian-style serial numbers under the tail.
As has already been mentioned, during the sixties, more exactly from December 1964, the base at Amendola-Foggia began to see the first examples of the FIAT G.91T/1 assigned to the Scuola Volo Basico Avanzato Aviogetti. This would represent the first official act in the decline of the T-33A, at least in its role as a pure trainer for the A.M., but the resulting availability would permit the expansion of the flight lines of the Squadriglie Collegamento, where the aircraft were well accepted and heavily exploited.
With these units the already proven T-Birds performed every role imaginable: from simple liaison missions to refresher flight training, renewal of instrument card ratings, and joyfully, and why not, aerobatics, the unquenchable passion of every Italian aviator. The T-33A were quickly joined by the RT-33A, of which only sixteen examples arrived in Italy, the first of which (Serial Number 53-5359) was delivered in March 1955.
The RT-33A, identical in terms of structure and style to the more well known and familiar T-33A, although mainly utilised in single seat configuration, was created to perform the role of photographic reconnaissance, being fitted with nose glazing over dedicated internal bays which were designed to accept planimetric cameras which, to tell the

babilmente – se veramente era giunto dagli Stati Uniti in Italia - doveva trovarsi altrove, oppure rimasto in USA.
Gli RT-33A mantennero fino alla radiazione dalle nostre linee di volo la loro vistosa immatricolazione, all'americana, impressa sulla deriva ma mutarono il loro primitivo colore, dal naturale alluminio all'arancione e per gli esemplari destinati al traino bersagli la presenza di vistose strisce giallo-nere sotto le superfici alari.

LA "PATTUGLIA ACROBATICA" DEI T-BIRDS

E' assai probabile che sia noto a pochi appassionati dell'esistenza di una vera e propria Pattuglia Acrobatica, composta da quattro T-33A della Scuola Aviogetti di Amendola-Foggia.
L'iniziativa di creare questo brillante team nacque agli inizi del 1959, al tempo in cui la Scuola foggiana accoglieva la presenza di numerosi piloti, provenienti da reparti diversi, allo scopo di effettuare, come già accennato, le loro transizioni sul pregevole addestratore statunitense. Nel programma didattico non mancavano mai nei cieli di Foggia degli "accenni"al volo in formazione, degli spunti che dovevano dare il via ad un grande desiderio, covato da tempo, soprattutto da uno degli Istruttori, il Tenente Pilota Renato Gherardi, che con l'appoggio dei Comandanti della base, primi fra tutti i Colonnelli Spadaccini e Torriani, fu richiesta l'autorizzazione al Comandante delle Scuole di Volo del tempo, il grande Generale S.A. Duilio Fanali. Per un grande aviatore qual era stato ed era ancora in quell'epoca il Generale Fanali, magnifico combattente nel corso della 2^ G.M., non poteva che giungere un entusiastico assenso.

Con l'assegnazione dei T-33A – biposto – si ottennero anche dei monoposto, RT-33A, limitati nel numero, che disimpegnarono ottimi servizi in seno all'A.M., primo fra tutti il compito del "Traino Manica", per i tiri dei complessi della Marina Militare e dell'Esercito, nonché per la stessa Aeronautica Militare. Gli RT-33A conservarono il Serial Number dell'USAF, subendo più tardi la necessaria colorazione arancione, per una maggiore visualizzazione nel cielo durante le esercitazioni di tiri reali. L'esemplare "51-81" - Serial Number 53-5396 - apparteneva alla 651^ Squadriglia Collegamenti e Bersagli del 51° Stormo (Foto A.M.)

Following the assignment of two-seat T-33A, the Aeronautica Militare received a lesser number of RT-33A, the single-seater, which it assigned to the liaison and target towing flights.The aircraft received a high visibility colourscheme to deliver enhancend visibility during air combat training. The RT-33A retained their original USAF Serial Number on the fin. This aircraft – "51-81" Serial Number 53-5396 – was from the 651^ Sqauadriglia Collegamenti e Bersagli of the 51° Stormo at Istrana

truth, were never installed by the units of the Italian Air Force.
In fact, the bays housed, out of necessity...sand, to compensate for the weight of the cameras which, if they had truly arrived from the USA, had vanished into Italy, if not still being back in the United States.
Until their retirement from Italian flight lines, the RT-33A retained their high visibility American-style numbering, painted on the fins which changed their colour from natural aluminium to bright orange, while those examples used for target towing had bright black and yellow diagonal stripes painted on under surfaces of their wings.

The T-birds "Aerobatic Team"

It is probable that few enthusiasts are aware of the existence of a real Pattuglia Acrobatica (Aerobatic Team) composed of four T-33A from the Scuola Aviogetti at Amendola-Foggia.
The initiative behind the creation of this brilliant team arose at the start of 1959, during the period when the Scuola had witnessed the presence of numerous pilots from different units, all charged with completing their transition onto the excellent American trainer. The conversion course could not fail to include formation flights in the skies of Foggia, and these flights awoke a long held desire, particularly amongst one of the Instructors, Tenente Pilota Renato Gherardi, who with the support of his base commanders, initially Colonnelli Spadaccini and Torriani, requested the Comandante delle Scuole di Volo, at that time the famous Generale S.A. Duilio Fanali, for authorisation to form a display team.
For one of the greatest Italian aviators of the period, and one who had attained a notable reputation during the Second World War, the only possible answer was a definite yes.

Un T-33A della 604^ Squadriglia Collegamenti del 4° Stormo, esemplare "4-829" – M.M.51-8829 – in atterraggio sulla base di Grosseto (Foto A. Vigna)

A T-33A of the 604^ Squadriglia Collegamento of the 4° Stormo – "4-829" – M.M.51-8829 – on approach to Grosseto

Agli inizi del 1959, quindi, il Tenente Gherardi formò la sua prima Pattuglia Acrobatica, chiamando a sé tre colleghi, quali i Tenenti Piloti Gabriele Cortella (gregario sinistro), Guido Vanorio (gregario destro), Libano Faldi (fanalino). L'iniziativa, come era da attendersi, "contagiò" gli altri Istruttori foggiani, che pur non facendo parte della formazione ufficiale, non mancavano di "improvvisare", talvolta prima del rientro alla base, delle figure acrobatiche, lontano o al di sopra del cielo campo, ma il quartetto di Gherardi, che riusciva ad allenarsi soltanto alla fine della giornata addestrativa, cioè dopo le ore 16, per non intralciare in alcun modo i normali programmi didattici della Scuola foggiana, impostò uno studio di figure di tutto rispetto, con looping in formazione a quattro, a rombo, tonneaux con formazione in fila indiana, looping con formazione a collo d'oca, in fila indiana, trasformazione, looping per bomba e....bomba finale, degna delle più tradizionali formazioni della scuola italiana.

La prima uscita ufficiale della Pattuglia Acrobatica dei T-33A avvenne sul finire dello stesso anno 1959, in occasione della visita del Generale S.A. Duilio Fanali, giunto ad Amendola per presenziare alla consegna delle "aquile" da pilota militare agli Allievi di quel Corso istruzionale. E' inutile sottolineare come il Generale Fanali rimase favorevolmente impressionato di questa esibizione, incoraggiando i promotori a continuare nell'impegno assunto.

Al Tenente Pil. Renato Gherardi, inviato negli Stati Uniti d'America, per un periodo istruzionale, subentrò il Tenente Pil. Gabriele Cortella, già gregario sinistro della prima pattuglia, che nel 1960 perfezionò ancor più le figure acrobatiche, riuscendo ad ottenere il permesso di eseguire...l'incrocio finale della bomba!

Nell'anno successivo, il 1961, la Pattuglia Acrobatica foggiana passò al comando del Maggiore Pil. Petrozziello, che potè disporre dei gregari addestrati già da due precedenti capi formazione, quali Libano Faldi, con l'innesto di altri giovani piloti, i Tenenti Carlo Vellani, Guido Venorio, Barbieri, Ghezzi e Clementi.

Aeroporto di Pratica di Mare (Roma). Un T-33A del Centro Radiomisure, esemplare "CR-20" con vecchia immatricolazione USAF – 55-3076 (Foto A.M.)

Pratica di Mare airfield (Roma). A Lockheed T-33A of the Centro Radiomisure, wearing an old style USAF Serial Number (55-3076)

Un altro esemplare di T-33A del Centro Radiomisure di Pratica di Mare (Roma). Velivolo con codici "CR-24" – M.M.51-8936, assegnato all'A.M. nell'Aprile del 1953 (Foto A. Vigna)

Another Lockheed T-33A of the Centro Radiomisure at Pratica di Mare (Roma), – M.M.51-8936 coded "CR-24"

Thus, at the beginning of 1959, Tenente Gherardi formed his first Pattuglia Acrobatica with three of his colleagues Tenenti Piloti Gabriele Cortella (left wingman), Guido Vanorio (right wingman), and Libano Faldi (slot). The initiative, as was to be expected, was contagious amongst the other instructors at Foggia, and while not involved with the official formation, frequently flew improvised manoeuvres prior to their return to base, either away from the circuit or above the airfield. It was, however, Gherardi's quartet, who could only train at the end of each working day, after 1600, in order to avoid damaging the intensive instructional activity of the school, that began to seriously study aerobatic manoeuvres, with loops in a four ship rhomboid formation, formation rolls in indian file, gooseneck formation loops, in indian file, figure changes, loops into a "bomba", and the "bomba" finale, worthy of the traditions of the Italian aerobatic heritage.
The first official performance of the T-33A Pattuglia Acrobatica took place at the end of 1959 on the occasion of the visit of Generale S.A.Duilio Fanali, visiting Amendola to attend the presentation of the military pilots' wings to the cadets who had just completed their Course. It is unnecessary to underline that Generale Fanali was favourably impressed by this exhibition, and encouraged the promoters to continue in their assumed role.
In place of Tenente Pil. Renato Gherardi, posted to the United States of America for instructional duties, Tenente Pil.Gabriele Cortella was appointed, formerly the left wingman of the first team, and who in 1960 made further improvements to the aerobatic routines and finally managed to obtain permission to perform...the final crossover of the "bomba"!
The following year, in 1961, the Pattuglia Acrobatica from Foggia was placed under the command of Maggiore Pil. Petrozziello, who selected as his two wingmen pilots already trained by the previous formation leaders, such as Libano Faldi, and additionally inserted other young pilots, including Tenenti Carlo Vellani, Guido Venorio, Barbieri, Ghezzi, and Clementi.

In pratica la sorprendente Pattuglia Acrobatica dei T-33A ebbe vita breve, ma intensa, operando per tre anni di fila, ma tale iniziativa fu emulata anche dai piloti tedeschi, che nel 1961 crearono la loro FFS "B", composta da Lockheed T-33A, esibitisi su vari aeroporti della Germania dell'Ovest.

IL DISTINTIVO DELLA SCUOLA AVIOGETTI DI AMENDOLA: LA FENICE

L'emblema impresso sulle derive dei velivoli operanti presso la Scuola Aviogetti dell'aeroporto "Luigi Rovelli" di Amendola (Foggia), non è una creazione scaturita dalla fantasia di qualche esponente del reparto addestrativo, come spesso accade in altri Stormi o Gruppi di volo italiani, ma si basa su un rilievo in pietra dell'epoca cinese Han.
Il distintivo è a forma di scudo, sormontato da una frangia turrita, con riquadro superiore bianco, entro il quale la scritta cambiò di volta in volta, a seconda delle funzioni e delle scelte operative dell'Unità addestrativa, come.... Scuola Addestramento Aviogetti...... Scuola Volo Basico Avanzato Aviogetti ed apparve anche sui FIAT G.91T della 60^ Brigata Aerea, prima che questa fosse disciolta, quando il 32° Stormo, destinato ad Amendola, assorbì i gruppi di tale unità, in base alle nuove ristrutturazioni organiche dell'Aeronautica Militare.
L'emblema della Fenice rappresenta un bel distintivo aeronautico, molto ricercato dai collezionisti del settore, soprattutto quello più raro, riservato agli "Istruttori" di volo, la cui qualifica veniva segnata

L'interno cabina di un RT-33A della 651^ Squadriglia Collegamenti e Bersagli con la sua normale strumentazione di bordo. Il maniglione sulla destra, in alto, con pomello, serviva a bloccare il tettuccio (Foto Arch. dell'Autore)

The cockpit of a RT-33A of the 651^ Squadriglia Collegamenti e Bersagli, showing the standard instrumentation

In practice the surprising Pattuglia Acrobatica of T-33A had a brief but intense life, operating for three consecutive years, but their initiative was emulated by some German pilots, who in 1961 created their FFS "B", composted of Lockheed T-33A, which performed exhibitions of several bases in West Germany.

The emblem of the Scuola Aviogetti di Amendola: "La Fenice" [The Phoenix]

The emblem applied to the fins of the aircraft operating with the Scuola Aviogetti based at the 'Aeroporto Luigi Rovelli' at Amendola (Foggia), was not a random fantasy creation by personnel of the training unit, as often occurs in other Italian Stormi or Gruppi, but was based on a stone relief from the Chinese Han period.
The badge was in the form of a shield, surmounted by a turreted fringe, under which was a white rectangle, inside which was the unit designation, which changed from time to time depending on the functions and operational duties of the training unit, including.... Scuola Addestramento Aviogetti...... Scuola Volo Basico Avanzato Aviogetti, finally reaching the final designation of 60^Brigata Aerea, which was based on the structural reorganisation instituted by the Aeronautica Militare.
The Fenice emblem is an attractive aviation badge, much sought after by collectors, as it is a rare badge, reserved for the flying instructors, whose qualification was indicated by the letter 'I' placed adjacent to

Un T-33A della 605^ Squadriglia Collegamento/5° Stormo, esemplare "5-534" (S/N 51-17534) in atterraggio sulla base di Rimini (Foto M. Delmagno)

A T-33A of 605^ Squadriglia Collegamenti/5° Stormo, example "5-534" (S/N 51-17534) in approaching Rimini

con una I posta al fianco dell'allegoria. Questa era ed è di colore bianco su fondo nero. Nella parte inferiore dell'emblema è apparso sempre un motto latino....primo avolso non deficit alter. (Benché se ne strappi uno non ne manca un altro).

31 MARZO 1982: LA FINE DEI T-33A

La fine della lunga carriera operativa dei pregevoli e prestigiosi Lockheed T-33A & RT-33A per le Squadriglie Collegamento si concluse agli inizi degli anni ottanta e per quel che riguardava gli ultimi due voli si registrarono presso una delle più note ed efficienti unità dell'Aeronautica Militare, la 651^Squadriglia Collegamenti e Bersagli del 51° Stormo d'Istrana. La cerimonia di "addio" dei due esemplari, 51-85 e 51-88 (M.M.55-3080 e 51-9249), avvenne ad Istrana il giorno 31 Marzo 1982, in una giornata variabile, fra una lieve pioggerella e la comparsa di un pallido sole, alla presenza di un folto gruppo d'invitati, appassionati, fotoreporter, ma più di tutti di coloro, tantissimi, che avevano fatto parte della Nobile Squadriglia, così come venne sempre chiamata - come lo è tuttora - questa unità del 51.

A ciascun rappresentante della 651^ Squadriglia fu consegnato quel giorno un simpatico "diplomino", che l'Autore conserva e raffigura in ultima immagine, a questa monografia sul "T-Bird", per ricordare il suo meraviglioso periodo trascorso accanto e con i T/RT-33A e per rivivere quei fatidici ultimi voli, affidati a due colonne dell'unità, i Maggiori Piloti Mario Alessi e Roberto Bordigato, due ex sottufficia-

Aeroporto di Villafranca di Verona: T-33A della 603^ Squadriglia Collegamento della 3^ Aerobrigata. Esemplare "3-303" – M.M.51-9030 (Foto Arch. dell'Autore)

An aircraft of the 603^Squadriglia, 3^ Aerobrigata coded "3-030" – M.M.51-9030, seen at Villafranca di Verona

the unit motto. This was written in white on a black background. In the lower part of the emblem appears the unit motto, always in Latin.... primo avolso non deficit alter. (Even if you break one, another will arise).

31 March 1982: the end of the T-33A

The conclusion of the lengthy operational career of the laudable and prestigious Lockheed T-33A & RT-33A with the Squadriglie Collegamento came at the beginning of the eighties, and the final two missions were recorded by one of the most famous and efficient units of the Aeronautica Militare, the 651^ Squadriglia Collegamenti e Bersagli of the 51°Stormo at Istrana. The farewell ceremony for the two aircraft, 51-85 and 51-88 (M.M.55-3080 and 51-9249), took place at Istrana on 31 March 1982 in variable weather, with a light sprinkling of rain and a faint glimpse of sun. Present were a rich group of guests, enthusiasts, photoreporters, and all those many men who had formed the Nobile Squadriglia, as was often called – and still is today – this unit of the 51.

On that final day, each member of the 651^Squadriglia was issued with a pleasant "diploma", which the Author retains to this day, and which features as the final image in this monograph on the T-Bird, as a remembrance of his marvellous period of operations in and around the T/RT-33A, and to remind him of that final flight, entrusted to two pillars of the unit, Maggiori Piloti Mario Alessi and Roberto Bordigato, two former NCOs, promoted to officers under the new air force laws intro-

I due Lockheed T-33A dell'Aeronautica Militare, con i codici del 51° Stormo, ripresi innanzi all'hangar della 651^ Squadriglia Collegamenti e Bersagli d'Istrana, hanno concluso il loro ultimo volo e l'addio ai coriacei addestratori, vissuti per ben 30 anni nei reparti italiani. Un supplemento di vita operativa l'ebbe il "51-85", per opera del Gen. S.A. Luciano Casarsa, veterano ed ex Com/te del 51° Stormo, che alcuni giorni dopo portò l'aereo presso l'aeroporto di Rivolto, dove tuttora figura in veste di "Gate Guardian" (Foto Arch. dell'Autore)

The last two T-33A of Aeronautica Militare, following their final flight parked in front of the hangar of the 651^ Squadriglia Collegamenti e Bersagli at Istrana. Some 30 years have passed since the arrival of the first American jet trainer in Italy!

li, promossi ufficiali con la nuova legge aeronautica degli anni appena trascorsi. Peraltro entrambi avevano svolto azioni di Comando presso l'unità.
Sappiamo che altri due "ultimi" voli furono compiuti nello stesso periodo presso altre Squadriglie, fra queste la gloriosa 636^Squadriglia Collegamenti e Bersagli di Gioia del Colle e la 609^ di Grazzanise.
L'esemplare 51-85 - M.M.55-3080 - dopo qualche giorno fu portato in volo da Istrana a Rivolto dal Generale Luciano Casarsa, un prestigioso ufficiale pilota appartenuto per anni al 51° Stormo, tra l'altro comandante del reparto dal 1976 al 1977.... davvero un ultimissimo, diciamo un supplemento di ultimissimo volo, perché l'aereo fu donato al 313° Gruppo A.A. della base friulana, sede della prestigiosa e ben nota Pattuglia Acrobatica Nazionale, colà richiesto per erigerlo a "Gate Guardian" di base, dove tuttora dimora.

LO STRAORDINARIO "SKYFOX"

Nel momento in cui i Lockheed T-33A dell'Aeronautica Militare avevano concluso il loro trentennale ciclo di attività volativa in Italia, pochi forse sanno che uno dei più ambiziosi progetti di un distinto signore americano, considerato un promotore aeronautico del tempo, fosse stato quello di sviluppare un bireattore, sfruttando, quasi per intero la cellula del rinomato addestratore, assegnandole il nome di Skyfox (la volpe del cielo!).
Prodotto dall'ingegno di Mister Russell O'Quinn, lo Skyfox sembrava poter utilizzare le vecchie ma pur sempre valide, utili e solide cellule del famosissimo "T-Bird", presente ancora in quegli anni in tutto il mondo. La Skyfox Corporation annunciava alla stampa aeronautica che il 23 Maggio 1983 vi sarebbe stata la presentazione, presso la base di Van Nuys (California), di un "nuovo" aeroplano, pitturato con un'elegante colorazione grigio-chiara, che non fu facile, anche per i tecnici più esperti e per quelli della stampa specializzata...scoprire come sotto quel profilo si nascondesse l'anima di un "T-Bird"!
Prima di essere presente a Van Nuys, il promotore aeronautico Russel O'Quinn aveva chiamato a se un team di tecnici di grande prestigio, perchè creassero lo Skyfox , fra questi lo stesso Irv Culver, progettista del T-33 e quel grande, inossidabile, Pilot Test di nome Tony Le Vier, ancora sulla breccia.
Nonostante che lo Skyfox avesse mantenuto quasi il 70% della cellula originale del T-33, il "nuovo" aereo appariva decisamente diverso. In effetti l'elaborazione manteneva la "combinazione" delle ali e della fusoliera, attraverso una congiunzione più armoniosa, che esaltavano

duced during the period. Both had performed command roles with the unit.

It is known that another two 'final flights' were conducted during the same period by other Squadriglie, amongst these the glorious 636^Squadriglia Collegamenti e Bersagli at Gioia del Colle, and the 609^ at Grazzanise.

One example, 51-85 – M.M.55-3080 – was flown after a few days from Istrana to Rivolto by Generale Luciano Casarsa, a prestigious officer pilot who served for years with the 51°Stormo, amongst other roles commanding the unit between 1976 and 1977.... a supplementary flight following the very last flight, as the aircraft had been donated to the 313°Gruppo A.A. at the Friulian base, home of the prestigious and well-known Pattuglia Acrobatica Nazionale, who had requested an example to serve as Gate Guardian at the base, and where it remains today.

The unusual Skyfox

Lockheed Aircraft Corporation's last project for a "new T-33A", an ambitious dream, was the unusual Skyfox. Driving force behind the idea was aviation promotor Russel O'Quinn. His plan was to utilise the many T-33A airframes available throughout the world to create an advanced tactical training aircraft. Qn 21 May 1984 at Van Nays, California, the Skyfox Corporation dernonstrated to the press a shim-ing and elegant twin.turbojet painted in a grey colourscheme and fea-turing a pleasing silhouette. For many reporters it was hard to realise

Un RT-33A della 651^ Squadriglia Collegamenti e Bersagli d'Istrana. Esemplare "51-78" con Serial Number 53-5587 (Foto A.M.)

A Lockheed RT-33A of the 651^Squadriglia Collegamenti e Bersagli at Istrana, aircraft "51-78", Serial Number 53-5587

Un RT-33A ("36-63" – M.M.53-5430) della 636^ Squadriglia Collegamenti e Bersagli (36° Stormo) rientra alla sua base dopo un'esercitazione sul mare. Ben visibile la "Bomba del Mar" fissata al suo lanciatore dell'ala sinistra (Foto Margelli/Via S. Bustacchini)

An RT-33A, "36-63", M.M.53-5430, of the 636^ Squasdriglia Collegamenti e Bersagli (36° Stormo) approaches its home base after a firing exsercise with ships of the Marina Militare. The "Bomba Del Mar" is visible under the port wing

le caratteristiche aerodinamiche dei più noti "T-Bird".
Il sistema di propulsione era stato affidato a due turbofan Garret TFE 731-3, capaci di fornire una spinta di 3.700 libbre (1.678 kg), posizionati in alto nella parte posteriore della fusoliera. La Skyfox Corporation prospettava di accrescere tale spinta fino a 4.044 libbre (1.834 kg).Il diverso posizionamento dei turbogetti, fuori dalla cellula interna del vecchio "T-Bird", avrebbe consentito all'elegante bireattore di sfruttare una maggiore capienza per aumentare la capacità di carico del carburante e la possibilità di sfruttare dei vani per l'armamento di bordo, orientato su una coppia di cannoncini. Altre caratteristiche interessanti, prospettate da Russel O'Quinn, si riferivano alle prestazioni di volo, indicate nella corsa di decollo ridotta a 1.010 piedi (305 metri circa), con una velocità di atterraggio di soli 95 nodi. Lo Skyfox sarebbe stato capace, inoltre, di affrontare virate a ritmo costante fino a 7,33G al livello del mare, senza subire alcuna perdita di potenza. A 36.000 piedi (12.000 mt circa) avrebbe eseguito virate sull'ordine dei 3,5G (punto di rottura), ancora con un risparmio di potenza.
La Skyfox eseguiva i suoi ripetuti e approfonditi test di volo presso il Centro di Collaudo per volo civile del Moyave (California).Mr.Skip Holm, collaudatore della Lockheed di quel tempo, effettuava un volo prova nel febbraio 1984, presso l'accennata base di Moyave, traendo impressioni favorevolissime. Holm ricavava, infatti, una velocità massima di Mach 0,80 in quota e 505 nodi al livello del mare.
Lo scopo essenziale del promotore aeronautico Russel O'Quinn era quello di offrire a tutte le aeronautiche del mondo la possibilità di realizzare nuovi addestratori dal basso costo, considerando che in quel tempo vi erano ancora disponibili dalle 800 alle 1000 cellule di "T-Bird", in ottimo stato, potenzialmente utilizzabili per la trasformazione in...Skyfox, che tuttavia alla fine non sembra abbiano offerto la grande aspirazione ai progetti di O'Quinn, intenzionato ad offrire una rivitalizzazione di un aereo, come il T-33, che sembrava non dovesse mai tramontare!

that there was a "T-Bird" hiding within the new configuration.
In order to create the Skyfox, Russel Q,Quinn had gathered an important pool of aviation designers and consultants, including Irv Culver, the "father" of T-33, and the great Tony Le Vier, the famous test pilot of the "T-Bird" prototype. Test flying was entrusted to "Skip" Holm, and in February 1984 the aircraft was subjected to flight test evaluation at Mojave in California.
The aircraft was powered by two Garrett TIFE 731-3 turbofans, delivering a maxìmum sped at altitude of Mach 0.80 and 550 knots at sea level. The Skyfox could climb to 30.000 feet in 5 minutes, and had a touchdown speed of 95 knots.
Russul O'Quinn felt that there some 800 to 1000 airframes worldwide that were capable of being converted into the elegant Skyfox, but it seeems that the project was destined never to come to fruition.

Aeroporto di Istrana (TV) 2 Aprile 1982. Il Gen. di Brigata Aerea Luciano Casarsa in procinto di decollare per l'aeroporto di Rivolto con il T.33 n. 51-85 per l'ultimo volo di questo velivolo in Italia (Archivio L. Casarsa).

Istrana (TV) AFB April 2nd 1982. Brigadier General L. Casarsa ready to fly to Rivolto AFB his (T-Bird) T.33A No. 51-85, for the very last flight of this A/C in Italy.

L'IMPORTANZA DELLE ESERCITAZIONI DI TIRO ARIA/ARIA E ARIA/TERRA

L'addestramento al tiro aria/aria e aria/terra è stato sempre un "esercizio" assai importante, anche se molto impegnativo per qualsiasi esponente della nostra Aeronautica Militare, sia quella di un tempo, quando andava sotto l'etichetta di Regia Aeronautica, sia nel rinnovamento tecnico-organico intrapreso nel periodo post-bellico.
Dovremo dire con molta amarezza e chiarezza che la pratica delle esercitazioni di tiro, nel tempo ante-guerra, non fu mai presa sul serio nei nostri reparti di volo, coi risultati che penalizzarono enormemente, soprattutto i piloti da caccia nel corso del secondo conflitto mondiale.
Attraverso le documentazioni del tempo si ha notizia di frequenti esercitazioni di tiro reale, così era etichettata negli anni venti-trenta presso i reparti della Regia Aeronautica la pratica del tiro aria/aria o aria/terra. Tali esercitazioni si svolgevano sui vari Poligoni sparsi un po' dovunque sul territorio nazionale. Non di rado tali esercitazioni avvenivano sul mare, contro natanti, o pseudo tali, trainati o no da rimorchiatori. Potevano rappresentare delle esercitazioni anche piacevoli, ma molto sgradite dalla massa dei piloti della "bella" Regia Aeronautica, che alle sporadiche esercitazioni del tiro preferivano dedicarsi alle solite acrobazie aeree, risultate inutili, improduttive e per un verso finanche penalizzanti di fronte ad un vero aereo avversario nel tempo di guerra!
Per i tiri aria/aria si utilizzavano spesso dei palloncini sospesi nel cielo, trattenuti da sottili cavi in acciaio alla base, ondeggianti agli aliti del vento, che avrebbero anche potuto offrire un impegno maggiore nella punteria reale, figurandosi al confronto di un velivolo "avversario" in movimento, ma erano dei sistemi ugualmente rudimentali e come sempre poco graditi!
A onor del vero non avevamo nemmeno, a bordo dei nostri famosi aeroplani da caccia, dei sistemi di puntamento adeguati, se non il solito mirino fisso e la tacca, posta di fronte al pilota, sulla cofanatura del motore, pur se con le due armi in caccia, sparanti attraverso la rotazione dell'elica, quindi sincronizzate con i giri della stessa, il sistema di puntamento poteva essere, teoricamente agevolato, perché si aveva il classico sistema dell'occhio del puntatore, tacca/mirino, bersaglio, ma non vi era alcun sistema elettronico per correggere il famoso errore bersaglio, per cui si "tirava" con l'uso della pratica, piuttosto rudimentale....puntando leggermente in avanti al bersaglio trovatosi di fronte. A questo ci si affidava infine alle pallottole traccianti, capaci

Weapons training in the post-War Aeronautica Militare Italiana

Air-to-air and air-to-ground gunnery practice has always been an important and demanding exercise, and one that engaged the Italian Air Force in both its Regia Aeronautica and Aeronautica Militare Italiana guise. Documentation from the pre-War period provides evidence of the frequent detachment of fighter units to ranges around the country for gunnery training. This usually took place over the sea, the rudimentary targets being free-floating or towed by launches. The exercises were pleasant diversions, rather than a satisfactory training system. Even with the introduction of tethered balloons and cinema guns, the value of such exercises was questionable. In fact, the failure of the Italian aviation industry to develop an efficient gunsight, coupled with the Italian fighter pilots' mentality, focussed on collective aerobatics rather than combat technique, was to put the Regia Aeronautica at a major disadvantage when faced with a real opponent.

Lockheed T-33A del 14° Stormo di Pratica di Mare (Roma), ex Centro Radiomisure, il solito numero "20" con il ben noto Serial Number 55-3076 (Foto Di Cori/Palma – Via A.Vigna)

Lockheed T-33A of the 14° Stormo at Pratica di Mare (Roma), formerly the Centro Radiomisure codes "20" with its Serial Number on the fin (55-3076)

di offrire delle traiettorie più o meno attendibili. Ma erano sempre dei sistemi di ripiego, mai improntati sulla serietà e sulla tecnica vera. Inoltre non vi erano ancora dei mezzi adeguati per attuare dei veri e propri traino-bersagli, ma le esercitazioni più attendibili avvenivano con l'uso della cinemitragliatrice, tiri in bianco, nel gergo balistico, che offrivano una serie di fotogrammi abbastanza validi, entro i quali appariva l'aereo bersaglio.

PRATICA DEL TIRO REALE NEL DOPOGUERRA

Con la fine della guerra e con i nuovi mezzi messi a disposizione dell'Aeronautica Militare, le cose sulle prime non andarono meglio, anche perchè i temi del rinnovamento italiano, quelli che puntavano sulla rinascita morale e materiale dell'Arma, si basavano su concetti diversi. Non vi era ancora il tempo e nemmeno la possibilità (forse per molti esponenti dell'Arma nemmeno la voglia!), di attuare programmi addestrativi secondo lo standard che più tardi doveva diventare prioritario e senza dubbio ben definito. I primi anni del dopoguerra furono, quindi, un po' statici, più che altro per deficienza di mezzi adeguati, vista la presenza di tanti residuati di guerra in dotazione a quei pochi reparti italiani sopravvissuti alla bufera della 2^ G.M. Ma con l'avvento dei primi velivoli a getto e con le nuove finalità addestrative, imposte anche dai canoni internazionali, quelli del Patto Atlantico, in primo luogo e successivamente quelli più imperiosi della NATO, le cose cominciarono a cambiare davvero, naturalmente in maniera positiva.
Agli inizi degli anni cinquanta le esercitazioni a fuoco riguardavano ancora e soltanto tiri aria/terra, in quanto le linee di volo dei nostri reparti erano equipaggiati solo con caccia o caccia-bombardieri, possenti e super-armati, quali erano stati inizialmente gli Spitfires IX, di seguito i Republic P-47D e quasi contemporaneamente gli eleganti North American P-51D. Le esercitazioni più comuni per la progenie dei "Thunders", ad esempio, furono improntate su attacchi massicci contro bersagli inerti, posti sugli ampi poligoni di tiro, talvolta anche su natanti in mare aperto. Su di essi venivano sparati centinaia di colpi di mitragliatrici calibro 0,50 di pollici o sganciate bombe da 250 e 500 G.P. (General Purpose = Uso Generale), razzi a/t HVAR da 5 pollici e talvolta anche delle micidiali bombe al napalm. Ciò non poteva dare, però, una vera e ben precisa abilità nel tiro individuale, poichè con un simile armamento di lancio e di caduta, contro bersagli statici, ci si affidava alla "massa" degli aerei, capaci in qualsiasi circostanza a coprire la zona d'attacco. La presenza dei razzi HVAR da 5', novità assoluta per i reparti dell'A.M., con testa da guerra munita di

Post-War weapons training

In the immediate post-War period, the A.M.I. concentrated its efforts on survival, struggling to manage with the few serviceable aircraft left from the war, and coming to terms with the surplus equipment provided by the U.S.A.F. and R.A.F. The weapons training situation remained static until the introduction of jet fighters and entry into N.A.T.O, when the service was forced to adopt new concepts and techniques. At the beginning of the fifties, weapons training was totally concentrated on the air-ground regime, as the Italian units had been re-equipped with heavy and well-armed fighter-bombers specialising in the ground attack role. The most common exercise involving the Thunderjets were attacks on range targets with 250 and 500lb bombs, napalm bombs, and with the excellent Colt-Browning AN-M3 inch machine guns. Completing the range of weapons were the 5" HVAR rockets. The targets attacked on the ranges were canvas banners, circles painted on the ground, and redundant vehicles, but the Italian pilots still lacked the ability to develop their air-to-air skills.
With the arrival of the first ex-R.A.F. Canadair F-86E Sabre 4, and subsequently the North American [FIAT] F-86K Sabre, the A.M.I. finally obtained authentic interceptor fighters. The first was somewhat limited, as lacking radar it was unable to conduct intercepts in bad weather or at night, and thus could stand only the 'HJ' dawn-to-dusk alert.

L'esemplare "5-534" – M.M.51-17534 – della 605^ Squadriglia Collegamento del 5° Stormo in atterraggio sull'aeroporto di Rimini (Foto M.Delmagno)

Lockheed T-33A "5-334" – M.M51-17534 – of the 605^ Squadriglia Collegamento, 5° Stormo in approaching Rimini

carica cava, dava all'attaccante la possibilità di devastare il bersaglio prescelto e assegnato, poichè il carico massimo di 24 razzi per un F-84G veniva paragonato al fuoco prodotto da una fiancata di un incrociatore(1).
Ma il tutto – lo ripetiamo ancora – si concentrava sugli ampi poligoni, dove anche il meno abile della "brigata" dei cacciatori riusciva, bene o male, a piazzare i suoi colpi, le sue bombe, i suoi razzi. Ben diverso diventerà il tiro aria/aria, individuale, soggetto a precise manovre nel cielo e al rispetto del "circuito" di manovra.
Con l'assegnazione dei primi Canadair CL 103/Mk.4 (F-86E), ma ancor più con l'arrivo dei North American (FIAT) F-86K, finalmente l'Aeronautica Militare potè disporre di autentici caccia-intercettori, il primo un po' limitato nelle funzioni operative, perché, privo di Radar di bordo, non poteva effettuare intercettazioni notturne o comunque con tempo meteorologicamente avverso, per cui il servizio d'allarme dei Canadair Mk.4 si basava nell'arco della giornata, che andava dall'alba al tramonto, sotto l'indicazione operativa di Alert H-J. Ben diverse le possibilità e le potenzialità del North American F-86K, il primo vero caccia intercettore ogni tempo dell'Aeronautica Militare, perché dotato di un Radar di ricerca e acquisizione bersaglio e computerizzato al tiro (Radar utile anche alla navigazione), congegno integrato da un armamento di bordo di tutto rispetto, con la presenza di quattro cannoncini General Electric M24A1 da 20 mm, più tardi rafforzati dalla presenza di due missili a/a del tipo AIM9B Sidewinder, all'infrarosso.
La presenza del Radar a bordo dei "K", questi ben presto chiamati affettuosamente Kapponi, creò sulle prime qualche perplessità e molti imbarazzi in taluni piloti italiani, costretti ad un severo impegno pur di acquisire la perfetta conoscenza, nonché l'uso dell'ottimo Radar MG-4, capace di agganciare un bersaglio in volo alla distanza di 40 miglia e a regolare la navigazione sulla profondità delle 80 miglia.
Conclusa la prevista e necessaria transizione sull'F-86K, abilitando al volo decine e decine di piloti, al tempo tutti in forza al 1° Stormo Caccia Intercettori Ogni Tempo della 51^ Aerobrigata, dove i Lockheed T-33A fecero la loro parte, per un ulteriore indottrinamento, già accennato, nel preparare i piloti al volo strumentale, si passò alla fase più importante e impegnativa: l'addestramento al tiro aria/aria, questo per ottenere la prevista quanto necessaria Combat Readyness (prontezza al combattimento), del resto inserita nei programmi della NATO.
Prima di addentrarci nel campo specifico del tiro reale aria/aria e degli aerei Traino-Bersagli, fatalmente finiti per essere, alla fine, i migliori proprio i nostri protagonisti, cioé i T/RT-33A, illustreremo al lettore quali erano agli inizi degli anni cinquanta i sistemi di questa importante pratica aeronautica. Per il sistema del tiro aria/aria vi era

(1) Il termine proviene da una definizione balistica della marineria da guerra, poiché la "fiancata" si riferisce al posizionamento dei cannoni dell'unità sul fianco della nave, sparanti in contemporanea.

The F-86K was a major advance, benefiting from a target tracking and aiming radar integrated with four General Electric M24-A1 20mm cannon, and later two AIM-9B Sidewinder IR-guided air-to-air missiles. The availability of an on-board radar was a culture shock for the Italian pilots, and intensive training was required before they were fully conversant with its capability of acquiring a target at 40mm and assisting in navigation, offering in this mode a range of some 80mm. The pilots now had to learn instrument flying, night flying, use of radar and missiles, and then had to achieve combat ready status through air-to-air and air-to-ground weapons training.

Nuova interessante immagine del "51-81" ripreso a Istrana. Uno di questi RT-33A causò un grave danno ad una batteria a/a posta sulle foci del Reno, per l'inesperienza del pilota e per l'ordine di sganciare la manica accanto ai complessi a/a da 40/56 mm... danneggiandone alcuni e procurando dei feriti fra il personale (Foto A.M.)

New interesting image of "51-81" at Istrana. The towing cable of a 651^ Squadriglia RT-33A had one unfortunate consequence for a AAA battery posted on the upper Adriatic, near the mouth of the river Reno. The Commader requested that the cable and target be dropped along the beach. The inesperience of the pilot caused the cable and target to pass at ground level trought the battery 40/56 mm, destroying several artillery and causing injuries and some fatalities amongst the Esercito personnel

Straordinaria immagine del "51-85" in atterraggio sull'aeroporto d'Istrana (Foto Arch. dell'Autore)

An extraordinary shot of "51-85" landing at Istrana

ancora il vuoto assoluto, avendo già affermato come l'A.M. mancasse ancora di velivoli veramente validi, ancor più di caccia intercettori. Per il tiro aria/terra abbiamo già detto delle varie esercitazioni pianificate in quegli anni per i velivoli della serie "80", spesso presenti sui poligoni del Nord Italia, il più importante quello di Maniago, perché i tre Stormi più noti dell'A.M., quali, 5°, 6° e 51°, trasformati poi in Aerobrigate, facevano parte della giovate 56^ TAF.
Ma in precedenza l'Aeronautica Militare aveva svolto degli importanti servizi di Traino-Bersagli a beneficio dell'Esercito e soprattutto della Marina..... impiegando nientemeno che il glorioso e romantico S.79 "Sparviero", non più in veste aggressiva, come l'oleografia di guerra lo faceva ricordare, ma in sembianze dimesse, non soltanto perchè volava ormai completamente disarmato ma anche perchè privo di quelle variopinte tenute mimetiche del tempo di guerra. Non sembrava più il famoso.... Gobbo Maledetto, strumento di potenza e di tanti ricordi, anche dolorosi della 2^ G.M., ma un aeroplanino qualsiasi, dalla livrea completamente argentea, con le "tegole" della sua gobba spesso chiuse e con uno strano rocchetto appena sporgente da quella che era stata la postazione dell'arma ventrale. Eppure, nonostante questa trasformazione, quando uno di quei pochi S.79 addetto al servizio del traino giungeva in corto finale sulla base di Treviso S.Angelo, perchè impegnato nelle esercitazioni sul Golfo di Venezia, a favore di piccole unità della Marina Militare.... non era possibile non scoprire negli sguardi dei veterani un lampo di gioia, mista a commozione. Tante volte al suo classico... "guau", "guau" "guau", scaturito dai tre motori in fase di atterraggio, pur se non erano più i classici e indimenticabili "Alfa 126", ma dei propulsori USA, dei "Wright", il suono, per i veterani, sembrava lo stesso. Si posavano sulla pista di Treviso S. Angelo rullando lentamente lungo i raccordi, per poi portarsi al parcheggio di fronte all'hangar della SRAM. Dall'aereo scendevano i 4-5 uomini di equipaggio, usando la tradizionale scaletta-portiera e si adoperavano per allestire il loro tamburo con un lungo cavo in acciaio, per il traino sul mare, pronti a decollare per una nuova missione. Venne tante volte sulla base di Treviso S.Angelo....poi un bel giorno non lo vedemmo più, appurando infine come quei trimotori, addetti oltre al traino, nelle funzioni di Corrieri Militari.... erano stati distrutti col piccone, mettendoli fuori servizio in quella maniera brutale e selvaggia, mentre gli ultimi esemplari, tutti decentrati a Ciampino, erano finiti in pasto ai Nuclei Antincendi della base romana, per le esercitazioni del personale....una distruzione inopportuna, forse, come si scriveva poi sul N.9 del fascicolo Dimensioni Cielo[2] quasi un bisogno di dimenticare la guerra perduta distruggendo gli incolpevoli segni della passata grandezza!
Dopo la scomparsa degli S.79 Traino-Bersagli, tale compito fu affidato ad un altro aeroplano, di produzione e provenienza americane, il

(2) "Dimensioni Cielo" – Edizioni Bizzarri, "S.79", Roma, 1972.

Interessante visione di un RT-33A della 636^ Squadriglia Collegamenti e Bersagli del 36° Stormo di Gioia del Colle (Bari), la seconda unità dell'Aeronautica Militare a svolgere le funzioni del Collegamento e del Traino Bersagli. Notare le superfici inferiori giallo cromo opaco, con bande oblique in nero (Foto A.Vigna)

Interesting shot of an RT-33A operated by the 636^ Squadriglia Collegamenti e Bersagli/36° Stormo at Gioia del Colle (Bari), the second unit of the Aeronautica Militare tasked with liaison and target towing. Note the lower surfaces with chrome yellow and oblique black stripes.

Curtiss S2/C-5 Helldiver, anch'esso più volte capitato sulla base della 51^ Aerobrigata, ma non più a Treviso S.Angelo, bensì ad Istrana, nuova base per il reparto del Gatto Nerio, posta a 17 chilometri dal capoluogo trevigiano.
Questo possente e non meno famoso aereo, disimpegnò per lo più il traino per la Marina Militare, attraverso un sistema più razionale di quello messo in pratica dagli S.79.

Il M.llo Mot. Gastone Tarlao del 51° Stormo posa innanzi all'RT-33A del Centro Tiri di Decimomannu (Foto G.Tarlao)

Maresciallo Mot. Gastone Tarlao, NOC of the 51° Stormo, forward of Lockheed RT-33A of the Centro Tiri of Decimonannu

Due T-33A "T-Bird" dell'USAF in volo addestrativo (Foto USAF)

Two USAF T-33A "T-Bird" during a training mission

IL "IL TRAINO BERSAGLI" PER L'AERONAUTICA MILITARE

I primi velivoli destinati a svolgere il delicato compito del Traino Bersagli, per l'Aeronautica Militare, furono i North American P-51D "Mustang", decentrati presso il Centro Tiro (CT) dell'aeroporto di Brindisi, dove fin dagli inizi degli anni cinquanta, soprattutto dopo l'avvento dei velivoli a getto, divenne base obbligata per quanti erano destinati ad acquisire la qualifica di Combat Readyness. Erano delle campagne di tiro vere e proprie, programmate dallo Stato Maggiore, dando ad ogni reparto il calendario annuale, da rispettare rigorosamente, dato l'avvicendamento costante di altri, per un periodo ben prefissato. Il personale dei Gruppi di volo destinato al CAT di Brindisi raggiungeva tale base a bordo dei C-119G Vagoni Volanti, carichi anche di attrezzatura di reparto, qualcosa come 3.000/4.000 libbre di materiale, tale da rendere quanto più possibile l'autonomia operativa di ciascun gruppo, salvo il rifornimento delle cartucce dalle ogive colorate allestite dal personale della base pugliese.
I "Mustang" del Centro Tiro di Brindisi, oltre ad essere stati codificati con le vistose lettere in nero, stampigliati in fusoliera - "CT" - presenti su ciascuna delle fiancate, con accanto la coccarda tricolore e di seguito il numero di codice, ebbero poco dopo – non subito – delle vistose colorazioni a scacchi bianco-rosso nella parte terminale della fusoliera, deriva e piani di coda compresi e alle estremità delle ali, per essere visibili in volo durante il delicato compito del "traino", anche se prima e dopo tale iniziativa qualche P-51D buscò dei colpi in fusoliera, sulle ali e sui piani di coda....."regali" dei migliori (sic!) tiratori scelti dell'A.M.!!!
Oltre al North American P-51D "Mustang" il Centro Tiri pugliese provò ad utilizzare il FIAT G.59, dato che l'addestratore italiano era stato predisposto per l'eventuale traino, avendo in fondo alla parte bassa del poppino di coda un bulbo a molla, capace di infilare un anello al quale andava agganciata la cima del cavo a treccia, in acciaio. Ma i risultati non furono molto incoraggianti, per cui all'epoca il trainatore per eccellenza divenne e rimase per molto tempo il robusto ed affidabile N.A. P-51D, pur se vi era una notevole differenza di velocità fra il caccia a pistoni ed elica quadripala e i velivoli a getto, soprattutto nei confronti dei più veloci F-86K. Infatti il "Mustang" non superava i 712 km/h, riducendoli in fase di traino bersaglio; gli altri, i reattori, sfioravano i 950/1000 km/h, costretti a ridurre le loro entrate sul circuito di tiro, soprattutto negli attimi in cui iniziavano la classica "curva di caccia", necessaria per portarsi in coda al telone bersaglio e spararvi contro con raffiche brevi, assumendo una specie di semi-ellisse, che li portava di traverso al cavo e alla stessa manica in nylon, contro la quale venivano sparate – come già anticipato –

Target-towing development

At the beginning of the 1950s, as has been noted, the A.M.I. had barely enough aircraft to fly, let alone conduct intercepts or tow targets. To train the anti-aircraft artillery of the Esercito [Army] or Marina Militare [Navy], the A.M.I. utilised the ancient and romantic SIAI Marchetti S.79 as target tugs, until they were finally handed over top the firemen for practise. They then turned to the Curtiss S2C-5 Helldiver, initially issued to the A.M.I. for A.S.W. duties, and made available by their replacement by the PV-2 Harpoon and S-2 Tracker.
The first target-towing operations conducted for the A.M.I. itself were flown by the F-51D Mustangs of the Centro Addestramento al Tiro [Firing Training Centre], which was established at Brindisi in the early 1950s. Once a year, each A.M.I. fighter unit deployed to Brindisi for its annual session, with its ground support equipment arriving by C-119G. The Mustang tugs wore a silver livery with red and white check markings on the rear fuselage, fin, stabilisers, and wingtips. Despite these high visibility markings, one Mustang managed to collect holes from three - " rounds, one in each wing, and one just behind the cockpit. The FIAT G-59 was evaluated for the tug role, but never replaced the Mustangs. A major drawback in the use of these piston-engined fighters was the marked difference in speed between the tugs [flying at around 385 knots] and the fighters, flying gunnery patterns at around 540 knots.
As the validity of the Mustang as a tug declined, particularly following the introduction of the F-86K, the role was assumed by the Canadair CL.13 Sabre 4 [F-86E(M)]. As the F-86E was not specifically equipped for the role, a simple and all-Italian adaptation was adopted, namely the attachment of the banner cable to one of the lateral air-brakes of the borrowed 4° Stormo Sabres just prior to take-off, and its dropping on landing by the simple act of opening the air-brake. The towed target used by the A.M.I. featured a cable some 300 metres long, more than sufficient to guarantee the safety of the tug, as the attacking fighter approached the banner at a 30-35° offset on the so-called 'fighter-curve', fired, then climbed over the tug and target to repeat the attack two or three times.
The guns on Italian fighters were normally calibrated to converge at 1000', and during gunnery training only exercise rounds were used. The F-86K, with its radar, was quite capable of detecting and tracking the early banners, as the latter contained many metal elements. Later on at Brindisi, and afterwards at Decimomannu, a metalicised banner was used, facilitating radar detection.
The live firing detachments to the Centro Addestramento al Tiro at Brindisi, organised by the Stato Maggiore [General Staff] were generally scheduled for the summer, and involved the transfer of the unit en-

Aeroporto di Pratica di Mare (Roma): schieramento di velivoli del Centro Radiomisure. In primo piano il solito T-33A "CR-20" - M.M.55-3076 e di seguito due Beechcraft C-45 e tre C-47 (Foto Arch. dell'Autore)

A line up of the aircraft of the Centro Radiomisure at Pratica di Mare (Roma): in the foregrounds the usual T-33A "CR-20"

delle pallottole con le ogive colorate, un colore per ciascuno dei piloti della vickers in volo, quattro aviogetti per volta, guidati dal capo coppia, di norma il più abile a condurre la piccola formazione, non essendo stato ancora creato all'epoca il N.1 con la qualifica di Istruttore di Tiro.

Con la comparsa sempre più massiccia degli F-86K, ben presto venne a decadere la validità del North American P-51D "Mustang", sostituito ben presto dal Canadair Mk.4 (F-86E "Sabre"), presente sulla base di Brindisi solo quando necessitava disimpegnare il "Traino-Bersagli" per i Kapponi. Poiché il "Sabre" non era predisposto al compito del traino, il problema fu risolto nella maniera più rapida e più congeniale possibile, un arrangiamento tutto nostrano, che si rivelò pratico, veloce, utilissimo. Non possedendo, infatti, ganci o bulbi, ove fissare la cima del cavo, non rimase altra scelta che far serrare questa ad uno degli aerofreni laterali del bel caccia, di volta in volta prestato dal Comando della 4^ Aerobrigata di Pratica di Mare, dato che il CAT brindisino non possedeva in carico questo tipo di intercettore diurno. Con questa soluzione non era affatto impossibile trascinare nel cielo il cavo e la manica ad esso fissata al terminale dei 270 metri, pronto a riportare il tutto alla base di partenza, sorvolare la parte laterale della pista, aprire l'aerofreno e lasciar cadere cavo e manica sul prato del campo, dove un'apposita squadra di Armieri si premurava di recuperare ogni cosa e portarla al Centro Tiro, ove avveniva la conta dei fori colorati procurati dai piloti in addestramento. Sulle prime alcune "curve di caccia" non coincisero perfettamente con la traiettoria prevista, per cui qualche pilota andò a sbattere con una delle ali contro la manica, portandosela alla base attaccata agli "slats" o al tubo di Pitot, a mo' di trofeo.... fino al parcheggio, con

masse to Brindisi, from where the unit's pilots flew normal training sorties, weapons training missions, and mounted the H24 alert. Air-to-air activity commenced in the early morning after the four-ship flights and slot times had been arranged. The tug was the first to depart, while on the flightline the armourers loaded each fighter with its munitions load, using cartridges containing coloured bullets. These were initially coated with painted, but later dipped into a wax mixture. On the F-86K, it was usual to arm two of the four cannon with 50 rounds per gun, although the magazines of the GE M24-A1 could hold 132 rounds. This completed, and the guns being armed either mechanically [F-86K] or pneumatically [F-84G/F-84F], the onus passed to the pilot, who had been assigned a colour coincident with that featuring on the bullets. In the early operations, there were only eight colours available, but as technology developed it was possible to mix various basic colours to obtain a variety of shades. The armourers marked the ops board with the name of the pilot and the ammunition colour, and additionally placed a similarly-coloured chalk mark on the nose radome of the aircraft. Returning pilots were always eager to obtain the results of their passes against the banner, identifiable by the coloured traces left around the holes made by successful strikes. Under ministerial norms, an interceptor pilot had to put a minimum of 17% of his rounds into a banner on two separate occasions in order to attain 'Combat Ready' status. As can be imagined, some pilots achieved this in a couple of sorties, while others took a week or two, but the Armament Camp was never concluded until the last pilot had achieved the right result.

When the Italian pilots first encountered the mysteries of the MG-4 target acquisition radar installed in the F-86K, some embarrassing early

Lockheed T-33A del 14° Stormo di Pratica di Mare (Roma), ex Centro Radiomisure, con codice "24", e M.M.51-4418, uno dei primi esemplari assegnato all'A.M. nel Settembre 1952 (Foto Di Cori/Palma – Via A.Vigna)

Lockheed T-33A of the 14° Stormo at Pratica di Mare (Roma), formerly the Centro Radiomisure, with number "24"; Serial Number M.M.55-4418, this being one of the first trainer assigned to the A.M. in September 1952

l'obbligo di pagare da bere a tutta la "ciurma" della linea di volo! Devo dire, con tutta "sportività", che in quegli anni si verificarono diverse bevute in quel di Brindisi!
Successivamente il cavo d'acciaio fu portato a 300 metri, più che sufficienti se il pilota in addestramento rispettava il corretto circuito di tiro ed eseguiva correttamente la sua "curva di caccia".
La collimazione delle armi di bordo dei caccia italiani dell'epoca, come lo è stato per decenni, era normalmente concepita per il tiro convergente sui 1000 piedi, esattamente 304,8 mt, senza l'uso di pallottole traccianti, in quanto si usavano delle normali cartucce da esercitazioni, come detto più volte, con le ogive colorate da tinte speciali. Solo per l'F-86K vi era l'ausilio del Radar di bordo, capace di agganciare il bersaglio e tenerlo quanto più possibile nel reticolo di mira, il famoso puntino luminoso, comunemente detto "pipper". Le maniche possedevano elementi metallici più che sufficienti, per consentire l'aggancio Radar, ma a Brindisi, come accadde anni dopo sul nuovo poligono di tiro in Sardegna, presso la base di Decimomannu, furono utilizzate anche maniche a maglie metalliche, molto più radarabili, che non migliorarono di gran lunga la capacità di quanti mostravano di essere proprio negati in questa necessaria pratica addestrativa!
E' opportuno illustrare al lettore profano le varie fasi e gli elementi necessari per svolgere correttamente una Campagna di Tiri reali, di norma "fissata" durante i mesi estivi, almeno all'inizio, anche se l'impellente necessità di qualificare la continua affluenza di nuovi piloti ai reparti intercettori, ci portò a svolgere turni addestrativi anche in pieno inverno, in primavera e in autunno, insomma in ogni stagione, soprattutto quando fra la massa vi era sempre colui che "stentava" a raggiungere la sua necessaria Combat Readyness!
L'attività dei tiri aria/aria iniziava di buon mattino, dopo aver predisposto le varie "Vickers" (formazioni di 4 velivoli) in turni ed orari ben distinti, per permettere i necessari intervalli di volo verso il traino-bersagli. Questo era il primo a decollare, dopo che la solita squadra degli Armieri del CAT distendeva il cavo al centro della testata di pista, eseguiva l'aggancio al bulbo del poppino di coda e dava l'OK per il decollo.
La manica, in nylon o in maglia metallica, aveva le seguenti dimensioni: 7 metri x 2,50/3. Al lato inferiore era fissata una barra di ferro pieno, munita di un contrappeso ad una delle due estremità. Questo serviva a dare alla manica, una volta staccatasi dalla pista e portata in volo, la possibilità di posizionarsi verticalmente, poichè il tiro doveva avvenire non con manica "piatta" nel cielo, ma in senso verticale, a "bandiera". Al centro della barra di ferro vi era una specie di "slitta" in alluminio. Questa serviva a tener sollevata la stessa barra dal fondo pista, al fine di non sfilacciare le maglie e far da "deflettore"

results were recorded. However, with meticulous practice the MG-4, which offered not only target detection but also target error, heading, and angle of attack corrections, became a well respected and capable tool.
At the Centro Tiro at Brindisi the target banners were attached to the tugs by locally based armourers, as the detached units had yet to be assigned their own target flights [Squadriglia Bersagli], a development which was more rational, and which also offered more interesting work to the unit's armourers.
When the Lockheed T-33A arrived in Italy, the target towing system took an immediate leap forward in quality, although the Sabre had proved itself a useful tool. The T-bird allowed everyone, groundcrew included, a more rational system, and one that matched as closely as possible the speed of the fighter.
In March 1962 the air-to-air firing range was moved from Brindisi to Decimomannu. This initiative derived from the need to avoid further inconvenience to maritime traffic in the Gulf of Taranto, and additionally offered the personnel an improved logistical situation in Sardinia where, in addition, the vast Capo Frasca air-ground weapons range was also located. When the Italians moved into the rebuilt Decimomannu base, once home to units of the Regia Aeronautica, and in particular the torpedo attack units, they found it housing numerous Staffeln of the re-born Luftwaffe flying F-84F Thunderstreaks, and an entire R.C.A.F. Squadron flying the CL.13 Sabre. When the first detached A.M.I. F-86K unit arrived, the Canadians were in the process of leaving. This was a notable and unforgettable event, as the entire base was drawn up to celebrate the departure in a solemn ceremony, organised by the Canadians, who had built a miniture 'nuraghe' [the classic Sardinian building] containing a time capsule, the contents of which included a few Canadian Dollars. Even toady, within the logistics area of the base, this small nuraghe still exists, a gesture of Canadian friendship and respect towards the Italian aviators. The Canadians were replaced by R.A.F. units, with rather unfriendly personnel – undoubtedly superb, but socially very different from those who formed the Canadian squadrons.
The T-33A was not initially designed for the target towing role, but Italian ingenuity, at which they had become authentic masters, resolved the problem. The early towing tasks were concentrated on A.M.I. requirements, being later extended to cover the needs of the Esercito and Marina Militare, again, as will be demonstrated, with the usual Italian inventiveness.
For air-to-air banner towing, the problem was identified and resolved at Squadriglia level through the construction of a framework formed by iron rods fitted with two 'ears' which were attached by pins to the JATO mounting fitted under the rear fuselage of the T/RT-33A. The ring on

Atterraggio sulla base di Rimini di un T-33A della 605^ Squadriglia Collegamento, esemplare "831", con M.M.51-8831 (Foto S. Bustacchini)

A T-33A of the 605^ Squadriglia Collegamenti of the 5° Stormo on approach to Rimini, coded "831" M.M.51-8831

Radar per i velivoli dotati di tali apparecchiature. Dalla barra si irradiavano delle bretelle bianche in nylon, che andavano a convergere ad un anello a "V", fissato all'estremità di una lunga fettuccia, molto resistente, in canapa bianca, "tarata" per sopportare grossi carichi e strappi. Questa lunga striscia di canapa era chiamata "stroppo". All'altra estremità di questa grossa fettuccia, lunga circa 20 metri, vi era un altro anello a "V", ove fissare la parte finale. Il cavo in acciaio partiva dalla prima "V" e terminava alla seconda, quella che in pratica era agganciata al bulbo del traino. A Brindisi, data la lunga estensione della pista, il buon P-51D eseguiva un decollo normale, pur se a circa mezzo miglio dalla recinzione il pilota doveva imporre una rampa di salita accentuata, per non rischiare di lasciare manica e parte del cavo imbrigliati nelle stesse reti.
Per il munizionamento di bordo erano usate cartucce ordinarie con ogive di vario colore, in quel tempo a Brindisi ridotte a solo otto tinte, le più vivaci e le più visibili (rosso-verde-giallo-arancione-nero-violetto-marrone-blu), 100 colpi per velivolo, 50 per ogni cassetta, dato che il tiro avveniva soltanto con due delle 4 armi di bordo. Il Capo Armiere, munito di blocco notes e matita segnava il numero di fusoliera dell'aereo, il nome del pilota e il colore delle sue cartucce di bordo. Tutto ciò per consentire al Direttore del CAT, una volta recuperata la manica, di sapere quale pilota era riuscito a colpire la manica in volo ed aveva lasciato l'indelebile colore delle sue pallottole.
Le due "Vickers", decollate ad intervalli regolati, l'una dall'altra, si mantenevano in contatto radio con i capi formazione e con il pilota del traino, portandosi, al tempo del CAT pugliese, sull'ampio Golfo di Taranto, fino al largo di Punta Alice, in Calabria, per iniziare il loro prescritto circuito, per due-tre volte, finché subentrava la seconda formazione e cosi via. Un traino eseguiva il circuito per otto velivoli, quindi rientrava alla base, dove nel frattempo era decollato il secon-

the end of the steel banner cable was attached to a hook in this framework, which was fitted with a safety lock. When the armourer attached the ring to the hook, he did so by forcing it manually over, but when the tug returned from the range and overflew the banner dropping zone on the base, the action of opening the air-brake released the lock, which was connected to the airbrake by a 'Bowden Cable'. With the airbrake open, the hook disengaged, and the banner was dropped about 40 – 50 metres parallel to the runway, remaining where possible [given the effects of crosswinds] within the airfield boundary.

Hooking up the banner was a rapid operation, completed when the T-33A lined up on the threshold. Prior to the tug lining up and putting his power to idle, the armourer would have already laid out some 300m of cable along the runway, ready to attach to the banner. The banner targets were some 7 x 2.5 – 3metres, and were formed by a nylon rectangle fitted to an aluminium and steel V-shaped framework. Once hook-up was completed and the airbrake closed, the armourer gave the pilot the OK for take-off. With the banner attached, the take-off roll was never sprightly, and in order to protect the nylon banner as it slid along the runway the whole assembly sat on the lower metal bar of the framework. Once the T-33 had rotated and its gear was up, the pilot had to quickly establish a good rate of climb in order to prevent the cable and banner becoming entangled in the boundary fence. In the air, the banner adopted a vertical knife-edge attitude, held in position by counterweights in the frame. This enabled a valid gunnery exercise, as a 'flat target' – one that had adopted a horizontal attitude – was easily disrupted by the first gun bursts, which would disturb the counterbalancing weights.

Uno dei primi "Traini Bersagli" dell'Aeronautica Militare, il coriaceo North American P-51D con le insegne del Centro Tiri, con sede fino al termine del 1961 presso l'aeroporto di Brindisi (Foto F. MacMeicken)

One of the first A.M. target-tugs, the powerful North American P-51D, wearing the insignia of the C.T. (Centro Addestramento al Tiro Aereo), based until the end of 1961 at Brindisi

do. Una volta atterrati e contati i colpi, gli Armieri riarmavano gli stessi velivoli, se ancora efficienti al volo e così il "carosello" giornaliero andava avanti fino alle ore 16-17, salvo il breve intervallo, a turni prestabiliti, per l'ora di pranzo. Tutto questo poteva sembrare anche divertente, se non ci fossero stati i soliti, immancabili incapaci nel cogliere la manica, che scesi a terra imputavano spesso i loro fiaschi alla cattiva collimazione delle armi di bordo e all'inefficienza del Radar, costringendo i poveri Armieri e i Radaristi a...ricollimare, seduta stante, i velivoli "incriminati", le cui armi non mostravano MAI, in sede di balipedio (parapalle), la benché minima diversione di tiro, nè scendevano al di sotto di quel 64% nel centrare il tabellone bersaglio, percentuale prescritta dalle Tecnical Ordinances dell'USAF, anche se noi, fin dai primi tempi, mettevamo a segno il 90%, fino a giungere, con la pratica e con gli anni....il 100%!
La possibilità di far sparare otto velivoli sulla stessa manica, con l'equivalente di 32 armi (F-86K), per un numero di 800 colpi da 20 mm, poteva causare il tranciamento della pur robusta striscia di canapa bianca (lo stroppo!) o quella dello stesso cavo di traino, per qualche pallottola "pazza" sparata da uno dei tiratori più giovani o meno bravo. Ciò voleva dire rottura del traino e caduta in mare o lungo la via del rientro alla base dell'intera manica. Una manica "persa" specie in mare, creava qualche disappunto, soprattutto per chi era certo di aver messo i colpi a bersaglio, perchè annullava delle ore di impegno e di lavoro per tutti!
Se la manica precipitava al suolo, dopo che il traino era riuscito a portarsi sulla terra ferma, spesso il tutto era portato in campo o segnalato dai Carabinieri, per cui anche dopo qualche giorno quei colpi messi a segno venivano ritenuti validi, ma se precipitava in mare andava a far compagnia ai pesci del mare jonico, poi probabilmente imbrigliata in qualche rete da strascico dei pescatori pugliesi.
Con l'impiego del T-33A o dell'RT-33A il Centro Tiro, nel frattempo spostatosi fin dalla primavera del 1962 sulla base di Decimomannu, in Sardegna, le cose migliorarono molto, soprattutto per i piloti degli F-86K, che vedevano aumentare la velocità del traino, portata ad uno standard più accettabile, soprattutto se rapportato al pur volenteroso P-51D.
Diremo che il compito dei T/RT-33A, soprattutto quest'ultima versione, iniziò a disimpegnare il traino-bersagli per la sola Aeronautica Militare, poi esteso all'Esercito e alla Marina Militare.
Per il traino "aeronautico" l'idea nacque e fu risolta in sede di Squadriglia Collegamenti e Bersagli, attraverso la costruzione di un piccolo "trespolo", così chiamato, composto da tondini di ferro, munito di due "orecchiette", da posizionare e bullonare ai ganci del complesso Jato, di cui le due versioni dei "T-Birds" erano dotati, ma che noi non utilizzammo mai come supplementari di spinta. I ganci si

Once in the range area, a wide sector of airspace along the coast of central and southern Sardinia, over the Gulf of Oristano, the T-33A set up an orbit, maintaining radio contact with the four-ship inbound to the range for target practice. This was a most exciting period, and there was usually only a short wait before there came a short call over the headphones – and then the noisy rhythm of the cannon shots of an F-86K, or the dry growl on the _" guns of the FIAT G.91T/1. These lasted for a few seconds, followed by the swish of the four jets as they climbed away over the banner, and turned away to repeat the attack. The four attacking aircraft were always led by a chief weapons instructor, who was the first to enter the firing pattern, fly the fighter curve, and fire on the nylon target. He was followed by numbers 2,3, and 4, the latter often on his first sortie, and therefore restricted solely to camera gun attacks rather than expending live ammunition. Having flown to or three passes, the leader broadcast a quick 'Arrivederci', and then exited southeast, returning to base, while the T-33A waited for the second and sometimes third wave, given that at Decimomannu a range of sixteen colours was available. This range was achieved by mixing and varying the composition of the round colouring, in this case made of wax. As the round was still hot when it struck the banner, the trace of colour around the hole was more easily distinguishable.
The ability to deploy two or three formations of attackers against one single target led to the distinct possibility that some of the shots at the banner would hit the tow cable or bracing framework and counterweights. Not infrequently, when the armourers recovered the banner from the edge of the runway, the targets were nearing the end of the resistance. A lost target, particularly at sea, created much disappointment, as it cancelled out hours of work by the line mechanics and wasted flying hours for the pilots, particularly if they were approaching the requisite 17% hits on target. If the banner fell to ground during the return flight there were few problems. Often the local Carabinieri would return the banner after a few hours or days delay, enabling the hits to be counted; if missing at sea, however, a days activity was lost. At Decimomannu the target towing duty was initially performed by the T/RT-33A of the 636^ and 651^ Squadriglia Collegamenti e Bersagli [636th and 651st Liaison and Target Flight], the former from the 36° Stormo at Gioia del Colle and the latter from the 51° Stormo at Istrana. Resources were pooled, and the tugs served not only the F-86K of their own Stormo but all the Sabre units, ad Decimomannu hosted large collective concentrations of F-86K from all the Stormi. At that time, the K model was operated by the 21°, 22°, and 23° Gruppi of the 51° Stormo, and the 12° Gruppo of the 36° Stormo. Besides the 'Kapponi', the T-birds also served the FIAT G.91T/1 of the Scuola Aviogetti at Amendola, offering air-to-air weapons training to the schools student pilots, while they also supported the training require-

trovavano ovviamente in posizione sub/ventrale. Al "trespolo" in questione, all'apparenza simile ad un piccolo telaio, era stato saldato un gancio con linguella di sicurezza a molla, ove agganciare l'anello del cavetto in fili d'acciaio, usato per il solito telone-bersaglio. Nel momento in cui l'Armiere fissava tale anello al gancio, dopo aver disteso cavo e manica sull'asse longitudinale della pista, il gancio a terra era aperto a mano, facendo leggermente forza sulla molla antagonista, ma quando il "traino" rientrava dalla zona di tiro, sorvolando il fianco della pista, per accingersi a sganciare cavo e manica, il gancio era aperto attraverso l'estensione dell'aerofreno del velivolo, al quale era stato collegato un sottile cavetto bowden, simile a quello dei comunissimi freni delle biciclette, anzi erano proprio dei cavetti da freni, passanti attraverso un piccolo foro praticato su una delle due falange dello stesso aerofreno, generalmente la falange di sinistra.
All'atto dell'aggancio della manica l'operazione era rapidissima. Una volta che il T/RT-33A si posizionava al centro della pista, arrestandosi e l'Armiere aveva posto sull'asse della stessa uno dei tre cavi disposti ai lati dell'asfalto (tre per averne qualcuno di riserva, qualora ci si accorgeva dello sfilacciamento d'uno di questi), una volta agganciata la manica e fatto chiudere l'aerofreno, dato l'OK per il volo, il T-33A o l'RT-33A iniziava il decollo, mantenendosi perfettamente al centro, per poi imporre quel rateo a cabrare prima di giungere ai limiti del campo e far passare la manica sia pure di pochi metri al di sopra dei fili spinati della recinzione, mentre subito dopo lo stacco dal suolo la manica aveva già assunto la sua posizione a "bandiera", in senso perfettamente verticale, imposto, come già detto, dalla barra in ferro munita del suo contrappeso.
A Decimomannu il compito del Traino-Bersagli inizialmente venne assolto dai T/RT-33A della 636^ e dalla 651^ Squadriglia Collegamenti e Bersagli, l'una del 36° Stormo di Gioia del Colle, l'altra del 51° Stormo di Istrana, spesso comunque in attività comune, come in comune fu risolto – finalmente, dopo anni – quello dei reparti dotati di F-86K, in Sardegna trovatisi uniti fra gruppi diversi, quali il 12° del 36° Stormo e il 21°/22°/23° del 51. Ma oltre ai Kapponi i T/RT-33A diedero assistenza anche ai piloti dei FIAT G.91T della Scuola Aviogetti di Amendola, non solo per il previsto addestramento degli Allievi, al fine di ottenere l'abilitazione al tiro aria/aria sul poligono di Capo Frasca, o meglio, al largo delle sue coste, ma per seguire i vari Corsi da Istruttori di Tiro svoltisi in quegli anni presso il Centro di Standardizzazione al Tiro della base cagliaritana.
Più tardi alcuni T-33A e con essi degli RT-33A, pochissimi esemplari, furono assegnati al CAT di Decimomannu, per cui a questi velivoli furono impresse le sigle "SST" (Standardizzazione al Tiro) per i T-33A e "CT" (Centro Tiro) per gli RT-33A, come ci mostrano alcune foto della monografia.

North American P-51D del Centro Tiri di Brindisi. In un secondo tempo, dopo i primi cimenti del traino, gli aerei furono costretti a predisporre dei colori vistosi sui terminali di fusoliera e alle estremità alari, con scacchi rosso-bianco (Foto A.M.)

A North American P-51D of the Centro Tiri to Brindisi airport. After an initial period, it was decided to paint the aircraft with red and white checks to enhance visibility

ments of the weapons instructors, who finished their courses, also held at Decimomannu, with difficult live firing exercises.
Eventually, to enable the T-33 of the 36° and 51° more available to meet the requirements of other forces, such as the Esercito and Marina, the Centro Addestramento al Tiro [initially] and subsequently the Sezione Standardizazzione Tiro at Decimomannu were assigned their own aircraft, especially the RT-33A, which soon sported CT-, and later SST- code prefixes.
Daily activity during a weapons camp started early in the morning and finished late in the afternoon, as coupled with the need to prepare those aircraft tasked to fly came the control and arming of the weapons, a duty which often involved the rapid repair or replacement of a gun, completed while sitting on the wing, or laying on a tarpaulin placed on the ground. At the conclusion of firing, there were more checks on the weapons, and their cleaning and lubrication; this task was usually assigned to the more junior technicians [as usual !] while the Chief Technicians, armourers, and radar mechanics went to the briefing room in the Centro Tiro. Here they joined in long discussions about the exercise methods, but above all watched the camera gun films of the attacks. When examining whether the pilot had flown the correct 'attack curve' with the weapons instructors, it was discussed whether it was necessary to recalibrate the guns of an F-86K whose 'bright-spot' on the gunsight was perhaps not synchronised with the 1000' concentration of the cannon. All this was thanks to the Gruppo photographers, who punctually, every evening, reloaded the film bays.

IL 'COMPLESSO COLANTONI'

Il pur prestigioso "Kelly" Johnson e Irv Culver non immaginavano, nel realizzare la loro creatura, finita per diventare l'aereo più famoso del mondo, che in Italia i poliedrici Lockheed T/RT-33A avessero svolto un compito illustre e inusuale nel campo del Traino-Bersagli, fatto con congegni rudimentali, casarecci, ma indubbiamente efficacissimi, non certo degni delle più grandi industrie d'oltre Oceano, ma funzionali, ed ancor più apprezzati, soprattutto perchè scaturiti dalla vivace fantasia di un Maresciallo di 2^ Classe Montatore appartenente alla 651^ Squadriglia Collegamenti e Bersagli della 51^ Aerobrigata, tale Mario Del Zon, in quel tempo addetto, anche se della categoria dei Montatori e non degli Armieri, al delicato compito dei traini.

Tutto si rese necessario quando lo Stato Maggiore dell'A.M. intese estendere le esercitazioni di tiro terra/aria e mare/cielo, per l'Esercito e la Marina Militare.

Poiché per i complessi degli armamenti contraerei delle due armi non potevamo utilizzare il nostro semplicistico sistema della manica attaccata a quei poveri 300 metri di cavo, con un telone svolazzante in pratica dietro al "sedere" del pilota, era necessario studiare un congegno adatto allo scopo. Bisognava trascinare la manica in cielo, per un verso sempre la stessa, a parte alcune di forma tubolare, tipica manica a vento, di uguale colore, rosso-bianca, "lontana" quanto più possibile dall'aereo trainatore. Per questo l'accennato M.llo 2^ Cl. Mont. Mario Del Zon studiò e realizzò un congegno ad hoc, che in breve

Sulla spianata pugliese di Amendola "tuonarono" per anni i simpatici T-33A della Scuola dell'A.M., addestrando una moltitudine di Allievi e di Piloti di reparto (foto Arch. dell'Autore)

For years the likeable T-33A of the A.M. flying schools trained students and first line pilots over the Puglia regione

The 'Colantoni Complex'

The multi-role Lockheed T/RT-33A demonstrated itself equally capable of performing the even more delicate and complicated task of target towing for the Esercito [Army] and Marina Militare [Navy]. These procedures were totally different, as in this operation the shots came from below and at a determined altitude, fired from traditional batteries and increasingly from radar assisted cannon. In this case the length of cable could not be a mere few hundred metres, but a much greater length. There was, however, another problem; just how to tow such an extension through the sky while keeping the banners, which apart from some orange and white tubular targets were identical to the air-to-air targets, in position. The principal problem was in finding a system which would permit a T-bird to depart from a runway with 1500 metres of cable, the length sufficient to offer some security for the tug. 'Something' needed to be created which would permit the rolling of the cable on the ground and its unravelling in the air.
A solution to the problem was found thanks to the vision and technical capacity of an NCO technician, at the time the Chief Armourer of the 651^ Squadriglia, Maresciallo 2^ classe Montatore Mario Del Zon, who designed a towing complex, very different from the air-to-air target, being heavier and more substantial. The idea was picked up by a firm in Rome, Colantoni, who perfected it, built it, and patented it!
The Comanti Complex, as it was known at unit level, comprised a special metal structure which held, on one of its sides, a metal drum around which was wound some 1500 metres of wire. This drum was

Un RT-33A della 651^ Squadriglia Collegamenti e Bersagli della 51^ Aerobrigata (esemplare "51-81" - S/N 53-5594) ripreso di fronte all'hangar del GEV sulla base d'Istrana (Foto G. Di Bella)

An RT-33A of the 651^ Squadriglia Collegamenti e Bersagli della 51^ Aerobrigata (aircraft code/number "51-81" - S/N 53-5594) photagraphed in front of the GEV maintenance hangar at Istrana

Il T-33A "51-85" munito di "bagagliaio" in alluminio, agganciato ai supporti Jato subventrali, in corto finale sulla base d'Istrana (Foto S. Bustacchini)

The T-33A "51-85", with an aluminium baggage carrier attached to the ventral Jato links, on final approach to Istrana

tempo fu in grado di presentare. Si trattava di un "trespolone" munito di due traverse, capaci di reggere un tamburo rotante, entro il quale andavano avvolti ben 1.500 metri del solito cavo utilizzato per i soliti traini. Le traverse erano state studiate perchè potessero essere applicate ai soliti ganci del sistema Jato, dove peraltro esisteva un bocchettone per l'inserimento di un cavo elettrico, necessario, secondo l'inventiva di Del Zon, per avere tensione per i vari congegni interni del complesso.

Lo Stato Maggiore dell'A.M. predispose in quel tempo che le due unità addette al traino-bersaglio per le tre Forze Armate si dividessero il territorio italiano in due parti ben distinte, ciascuna delle quali di sola competenza dell'una e dell'altra Squadriglia. Alla 651^ della 51^ Aerobrigata la zona centro-nord, dalle Alpi (si fa per dire) a Pratica di Mare, Roma, mentre alla 636^ quella del centro Sud, da Napoli alla Sicilia. Per la Sardegna il compito era di competenza comune, a tempi alterni, secondo gli impegni e le esigenze dei due piccoli ma attrezzati nuclei operativi.

Ciascuna Squadriglia godeva di supporti autonomi per il trasporto dei trespoli – quali riserve, se questi non erano già posizionati sotto il ventre del T/RT-33A – dei tamburi di cavo di traino e del personale addetto a garantire il perfetto ciclo addestrativo dell'unità interessata. Per questo si aveva a disposizione un C-45, capace di ospitare a bordo abitualmente un solo pilota, col motorista che sedeva alla destra di questo, di uno o due Armieri, dell'indispensabile Capo Velivolo (Crew Chief), di un Elettromeccanico di Bordo (EMB) e di un marconista.

Il complesso Colantoni, così come fu poi definito in sede di reparto, perché la brillante idea del M.llo Del Zon, pur valutata ed apprezzata da una Commissione ministeriale, finì per essere brevettata e migliorata da una ditta romana, per l'appunto la Colantoni, si componeva di

Uno dei primi traino-bersagli del C.A.T. di Brindisi, il possente North American P-51D (foto P.L. Rossi)

One of the first train-targets of C.A.T. at Brindisi airport: the powerfull North American P-51D

carefully prepared by the Squadriglia Collegamenti e Bersagli, of which at the time there were two, the forementioned 636^ and 651^, which had been tasked by the Stato Maggiore to support Esercito and Marina gunnery training in two distinct sectors. The 51° Stormo unit [651^] was assigned northern and some of central Italy, while the 636^ [36° Stormo] covered the remainder. Units detached to Sardinia were supported by both Squadriglia.
It was not an easy task to correctly wind the 1500 metres of wire around the drum, spiral by spiral, avoiding overlaying one on the other,

Un North American P-51D del Centro Tiri di Brindisi, esemplare "CT-06", M.M.4305, costretto ad un forzato atterraggio fuori campo (Foto A. Mauri)

Forced landing for North American P-51D M.M.4305 of the Centro Tiri at Brindisi

un telaio speciale, in ferro, che sosteneva al centro un tamburo o rocchetto, entro il quale andavano avvolti i necessari 1.500 metri di cavo. Come illustrano alcune rare foto del tempo, il tamburo era preparato con cura e per tempo, presso le Squadriglie Collegamento e Bersagli, attraverso la delicata manovra di un sistema "avvolgitore", azionato a mano.

Per avvolgere correttamente i 1.500 metri di cavo nel tamburo, spirale per spirale, non era cosa facile, dovendo aver cura di non farne accavallare nemmeno una, pena l'inceppamento al momento dello svolgimento dello stesso, o addirittura la sua rottura, per cui bisognava aver pazienza e abilità, ancor più esperienza, scaturita dalla lunga pratica. Era necessario munirsi di un motorino elettrico, che facesse ruotare il tamburo nel verso avvolgente, coadiuvando lo scorrimento del cavo sopra una carrucola di ottone inserita in un cursore, carrucola azionata da una leva a mano, con movimenti precisi, portati in avanti e all'indietro, per eseguire la corretta quanto delicata operazione dell'avvolgimento. Ancor prima di iniziare l'operazione "avvolgente" era necessario far passare la cima del cavo attraverso un foro posto ai lati dell'asse del rocchetto, nel punto in cui avrebbe avuto inizio la prima spirale. Attraverso questo foro il cavo era fatto penetrare nell'asse del tamburo stesso, ove vi era un cilindro in acciaio cementato, altrimenti chiamato "cannone". Tale cilindro aveva un foro passante per consentire il passaggio della cima del cavo. All'uscita di tale foro il cavo era morsettato, affinché non potesse più sfilarsi. All'interno del "cilindro-cannone" vi era un piccolo stantuffo, anch'esso in acciaio cementato, con la base a forma di "ghigliottina", una vera e propria cesoia tagliente, capace di tranciare il cavo passante all'interno, al momento voluto, cioè quando era necessario riportare l'intera estensione del cavo e relativa manica, piatta o tubolare, al di sopra dei margini del campo e colà sganciarla. Per l'azione dello "stantuffo-ghigliottina" era necessario creare una forte pressione interna, causata da due cilindretti di pentrite, altrimenti detti squibbs inseriti in due fori sulla testa del "cilindro-cannone". Gli squibbs avevano due filamenti da collegare ad un cavo elettrico, che andava inserito al bocchettone sub-ventrale del complesso Jato. A bordo, sul pannello degli strumenti, il pilota aveva a disposizione degli interruttori, che avrebbe dovuto azionare al momento voluto, per lo sgancio del cavo e relativa manica.

Completato il corretto avvolgimento dei 1.500 metri di cavo, dalla sezione di 3,3 mm, la cima opposta di questo era fatta passare attraverso un congegno definito comunemente "bicchiere", posto tra le due traverse del complesso Colantoni, sorretto da un robusto elastico, per dare mobilità al cavo, come raffigurato chiaramente in una delle foto. In pratica in tale "bicchiere", detto così per la sua forma, vi era un altro cilindretto-cannone, capace di tranciare il cavo, qualora non

Un RT-33A della 636^ Squadriglia Collegamenti e Bersagli al termine di un esercitazione sul mare atterra sull'aeroporto di Pisa. L'aereo evidenzia la perdita del complesso Del Mar in volo! (Foto A. Margelli)

A RT-33A of the 636^ Squadriglia Collegamenti e Bersagli after an exsercise over the sea on approach to Pisa airport. The Del Mar machinery has been lost in flight!

si fosse attivato quello primario, inserito nell'asse del tamburo.
All'estremità della cima esterna del cavo, in uscita dal tamburo e dal "bicchiere", andava fissata la solita manica di traino, che come già detto poteva essere piatta, quella tradizionale, con tanto di barra e contrappeso, usata per i reparti dell'A.M., o tubolare, priva di contrappeso, simile ad una manica a vento aeroportuale, dai colori bianco-rosso. Solite cinghie e immancabile stroppo, poi il tutto era arrotolato e avvolto in carta da pacchi, chiusa da comunissime strisce di carta gommata. Così impacchettata la manica era collegata ai lati di una delle due traverse del complesso Colantoni e fissata ad essa da tre robusti elastici, aventi ciascuno di loro un anello trattenuto da una leva a molla, tipo maniglione, che nell'aprirsi, azionata dal solito cavetto da....bicicletta, tipo bowden, faceva cadere la manica nel vuoto, in modo che cinghie e bretelle strappavano la carta, consentendo alla manica, sotto l'effetto della pressione dell'aria, di srotolarsi per intero nel cielo. Perché il pilota avesse la certezza dell'intera estensione dei 1.500 metri di manica e cavo, l'ultima spirale di questo sul rocchetto liberava un micro-interruttore, tale da far accendere una lampadinetta spia di colore verde. L'operazione di srotolamento cavo e manica doveva avvenire in prossimità della zona prescelta alle esercitazione, in mare aperto per le unità della Marina Militare o sui complessi contraerei dell'Esercito, sistemati in luoghi ben lontani dai centri abitati.
Dopo il decollo il pilota del T-33A o dell'RT-33A, infatti, si dirigeva verso la zona di tiro, avendo cura di rispettare alcune procedure di volo, prima fra tutte la velocità: 250 nodi lungo il percorso di avvicinamento al luogo fissato per le esercitazioni a fuoco. Giunto sulla verticale delle unità da addestrare, sia che fossero piccole navi della Marina Militare (corvette, guardia coste, fregate, ecc.) o complessi antiaerei da 40/56 mm dell'Esercito, azionato l'aerofreno per lo sgancio e l'estensione della manica, un'operazione dalla durata di 7-8 minuti, il pilota doveva ulteriormente ridurre la velocità, portandola a 142 nodi, per aumentarla a 160-170 alla fine dello svolgimento. Poi veniva iniziato il circuito alla quota voluta dai complessi, con i quali il pilota si manteneva in costante contatto radio.
L'abbassamento della manica, dovuto al carico del cavo in acciaio e della manica, rispetto alla linea orizzontale dell'aereo traino-bersaglio, era nei limiti di 1000 piedi (304,8 mt), ben visibili dal basso e ciò penalizzava di molto il rendimento del velivolo.
Esaurito il compito sui complessi da addestrare, il pilota rientrava alla base con tutta l'estensione del cavo e la manica in fondo ad esso, in quando non vi erano congegni adatti al "riavvolgimento", avendo cura di mantenere una linea parallela quando giungeva sull'aste di pista, ma discostato dalla stessa, verso i margini esterni, ove far cadere cavo e manica, mantenendo una quota di sicurezza per l'accennato

L'esemplare SA-376 (M.M. 55-3076) assegnato all'A.M. nel febbraio 1956

SA-376 (M.M. 55-3076) was assigned to the Aeronautica Militare in february 1956

Un RT-33A della 606^ Squadriglia Collegamenti fotografato sull'aeroporto di Torino Caselle (Foto Arch. dell'Autore)

A RT-33A of the 606^ Squadriglia Collegamenti photographed at Torino Caselle

which could snag the wire during unravelling or at worse, break the cable. The delicate procedure was completed with the aid of an electric motor, fitted with a cable guide and a forward/reverse lever; with this, the delicate operation could be completed in around one hour.
Prior to commencing this operation, the end of the wire to be directly connected to the Colantoni complex was fed into a hole drilled through the axle of the drum at the point where the first spiral would commence. The tip of the wire emerged through the end of the axle, and was secured by a clamp. Inside the axle were two squibb explosive charges which, when electrically actioned by the pilot, severed the cable, allowing the target and cable to be jettisoned on return to the airfield. These charges were inserted into two holes on the axle once the entire complex had been fitted to the ventral JATO attachment of the T or RT-33A. This system was backed up by two further explosive charges installed in a mechanism that guided the wire as it left the drum.
Once the 1500 metres of 3mm three-strand wire had been wound around the drum, all that remained was to attach the banner target to the complex. The banner was attached to the wire by a strop, itself

"arco" inferiore dell'abbassamento.
Quando il pilota era certo che l'intera estensione dei 1.500 metri di cavo, manica compresa, si trovavano nel perimetro aeroportuale, allora era il momento di attuare le operazione di sgancio. Per prima cosa era necessario attivare il circuito elettrico di bordo, attraverso l'inserimento del termostato, posto su una delle consolle laterali e posizionare l'interruttore "Jato" su ON (inserito), portandolo all'insù. In quel momento si accendeva una spia-luminosa color verde, segno che il circuito era stato attivato. Conclusa questa rapida operazione bisognava schiacciare un pulsante rosso posto sulla destra del pannello anteriore degli strumenti. Era quello che dava corrente ai due squibbs di pentrite inseriti del cannone-ghigliottina. Se nello schiacciare il pulsante rosso – circuito primario – il cavo non veniva tranciato, al pilota restava l'alterativa di un secondo pulsante, collegato al circuito secondario (al famoso "bicchiere"), munito degli stessi cilindretti di pentrite presenti nel "primario". Raramente il circuito primario fece "cilecca", perchè la cura e i controlli da parte del personale specialista delle Squadriglie Collegamenti e Bersagli erano quanto mai accurati, precisi, responsabili.
Tuttavia, nel malaugurato caso non si fossero attivati i due circuiti, primario e secondario, come accadde una sola volta in quel di Falconara Marittima (Ancona) ad un pilota....dato in "prestito" alla 651^ Squadriglia Collegamenti e Bersagli della 51^A/B, purtroppo poco esperto di maniche, circuiti ed affini, malgrado l'accurato indottrinamento fatto dai piloti e dagli specialisti dell'unità, non gli rimase che l'ultima, estrema possibilità...... abbassarsi ulteriormente sul campo e cercare di far "sbattere" la manica al suolo, nella speranza di tranciare il cavo in un punto che purtroppo non era possibile valutare e individuare, correndo il rischio, come accadde appunto a Falconara, che il traino avesse ancora una lunghezza più che sufficiente di cavo attaccato al tamburo, cosa che in quella circostanza, in terra marchigiana....... segò, per primo, di netto, il manico di una pala ad un ignaro contadino di un orto attiguo alla rete di recinzione, intento ad osservare quell'aereo colore arancione, che gli passava sul capo....poi tagliò dei fili dell'alta tensione, lasciando mezza cittadina per alcune ore senza corrente e per ultimo....devastò diversi filari di vitigni! Quel cavo per aria, di circa 300-400 metri, rappresentò per una buona mezz'ora un terribile "scudiscio".... tagliente come una vera cesoia. Fortuna volle che non ci fossero danni alle persone, ma quell'illustre pilota, peraltro un prestigioso veterano di guerra, non ebbe mai più l'ardire di chiedere altri voli per il delicato impegno del traino-manica!

connected to the sheets of the nylon banner and the counterbalancing bar [if rectangular] or to the funnel if the target was tubular. The whole assembly was then wrapped in brown packing paper and sealed with adhesive tape. The package was attached to the Colantoni mechanism by three elastic bands. The opening mechanism comprised a strap attached to a spring, which was connected by the usual bowden cable to a hinge of the airbrake, which when the entire mechanism was attached to the JATO point was closed. When the airbrake was opened in the air, the target package fell away, pulling the strap, which tore the package, and allowed the target to deploy.

Once the T-33A was airborne, strict procedures were followed. The first of these was the maintenance of 250 knots as the firing area was approached. As the aircraft overflew the battery position [of the Esercito] or the ship [of the Marina], he extended the airbrake and deployed the target, which drew out the cable. This operation took some 7 – 8 minutes, during which the pilot flew at 142 knots, increasing to 160 – 170 after the wire was extended, which was confirmed by a light in the cockpit. This was activated by the last spiral of wire on the drum, which actioned a microswitch. The target 'flew' some 1000' below the T-33 due to the weight of both the target itself and the 1500 metres of cable. This heavily penalised the performance of the T/RT-33A.

Having completed his runs over the AAA position, the pilot returned to base, and activated the jettison circuit by selecting the 'JATO On' switch, which was confirmed by a green panel light. As he passed parallel to the runway, the pilot activated the squibbs, which cut the cable, allowing the entire target/cable complex to fall to the ground.

In the event of a failure of this and the backup system [which despite the scrupulous checks of the squadriglia armourers prior to departure occasionally occurred], the only option was the dangerous and unpredictable practice of flying as low as possible in an attempt to make the target contact the ground and for the cable to break. Even when this was successful, the pilot never knew exactly how much cable was still attached to the Colantani complex. The effect of this training cable on HT wires, roofs, or any object under the flightpath can be easily imagined.

The towing cable of a 651^ Squadriglia RT-33A had one unfortunate consequence for a Bologna-based AAA battery, posted on the upper-Adriatic near the mouth of the river Reno. On this occasion, the battery commander requested that the cable and target be dropped along the beach for an immediate check of the results of his 40/56mm artillery battery's work. The inexperience of the young pilot, coupled with the presence of an onshore breeze, caused the cable and target to pass at ground level through the battery, destroying several artillery pieces and causing injuries and some fatalities amongst the Esercito personnel.

IL COMPLESSO "DEL MAR"

Accanto al sistema di traino-bersaglio di marca e fattura tutte italiane, ve ne fu uno molto più sofisticato, tecnicamente più laborioso, di concezione americana, certamente assai interessante e simpatico, che rivoluzionava i concetti dell'uso semplice, più casareccio dei precedenti complessi nostrani: il Complesso Del Mar, usato esclusivamente per le esercitazioni di tiro antiaereo, non a fuoco, da parte delle unità navali di grosso tonnellaggio, attrezzate per le punterie elettroniche, come incrociatori, porta elicotteri, navi insomma molto più importanti. A loro il compito dei cosiddetti tiri asimmetrici.

Il complesso si basava su uno speciale contenitore a forma di serbatoio, ma molto più somigliante ad un mini-siluro, diremmo anche ad una bomba speciale, regolarmente posizionabile ai soliti ganci del sistema Jato divenuto ormai sistema tuttofare!

Nel "silurotto", che nel gergo delle Squadriglie Collegamenti e Bersagli acquistò il nomignolo di "maiale" (chissà perchè....in quanto non aveva nulla di somigliante col suino!), vi era un asse elicoidale, una vera e propria vite senza fine, attorno alla quale veniva avvolta una matassa di filo armonico, dal diametro di dieci decimi (un solo millimetro), un cavetto molto sottile, dunque, fuoruscente da un orifizio laterale del "silurotto-maiale", che proseguiva, abbastanza teso, lungo piccole carrucole, fissate al momento voluto in particolari punti della superficie inferiore dell'ala sinistra del T/RT-33A.

A metà della semiala era agganciato uno speciale travetto, al quale era

RT-33A "9-35" della 609^ Squadriglia Collegamenti di Grazzanise (Foto dell'Autore)

RT-33A 9-35" of the 609^ Squadriglia Collegamenti at Grazzanise

The Del Mar system

In addition to the home-grown Italian system, the A.M.I. employed an American system, built by Del Mar, specifically for working with naval AAA heavy calibre weapons. The complex, again installed on the JATO attachment, comprised a torpedo shaped pod which contained a helicoidal axis around which was wrapped a length of 1 mm wire. This cable was attached to a funnel housing under the left wing into which was fitted the Del Mar Bomb, a polystyrene 'bomb' containing a metal centre, useful is aiding radar identification. The 9000 metres cable was wound and extended by the use of a variable pitch four bladed propeller mounted on the nose of the pod. Due to the length of cable, the target flew significantly lower than the tug, and the pilot had to be careful to ensure that when manoeuvring his aircraft the 'bomb' did not contact any obstacle and break off.
In the main, the Del Mar system was utilised over sea ranges where air and sea traffic was prohibited, and within which the major warships of the Marina Militare conducted their exercises. The majority of these were radar-based exercises, with little live firing occurring.
The use of the T-33A and RT-33A as a target tug, never envisaged by the Burbank manufacturer, was partly due to the ingenuity of the Italian technicians, who, because of the circumstances in which they found themselves, were experts at making the best from little or nothing. Eventually, the Americans installed a sophisticated computerised system at Decimomannu, a system that rendered the classic and roman-

Rientro alla base di Grosseto per un T-33A della 604^ Squadriglia Collegamenti del 4° Stormo dopo un volo addestrativo in coppia (Foto dell'autore)

A T-33A of the 604^ Squadriglia Collegamenti (4° Stormo) returns to its Grosseto base after a joint training Mission

necessario fissare un "lanciatore", così chiamato un tubo con la forma ad imbuto finale. Il cavetto, passando attraverso l'asse del "lanciatore", usciva proprio dall'imbuto, dove veniva agganciata una specie di bomba in materiale resinoso, del polistirolo, una bomba interamente colorata di rosso, come rosso era il "lanciatore", mentre il "maiale", come illustrano le immagini fotografiche era metallizzato.
All'interno della Bomba dal nome appunto di Del Mar, vi era un nucleo metallico, utile per favorire l'aggancio radar dei complessi elettronici di cui erano muniti le unità da guerra.
Sistemata la matassa di filo armonico all'interno del "maiale", tratta da appositi tamburi....ben 33.000 piedi, qualcosa come 9.000 metri, ma di solito si usavano matasse da 5.000 mt, per mezzo di un motorino elettrico, che agiva sull'asta interna, il traino era pronto per svolgere la sua missione, partendo molto spesso dalla base d'Istrana, almeno per quel che riguardava la 651^ Squadriglia, per portarsi al largo delle coste toscane, per unità in uscita dal porto di Livorno, ma molto più spesso sull'ampio Golfo di La Spezia, per le unità presenti in questa importante rada della Marina Militare.
Il volo verso il punto d'incontro con le unità sul mare avveniva a velocità piuttosto ridotta, pena la rottura della fragile bomba introdotta con l'ogiva nell'imbuto del "lanciatore". Giunto sulla verticale ove eseguire la delicata esercitazione, il pilota inseriva il motorino azionante una piccola elica quadripala, a passo variabile, posta sull'ogiva del "silurotto-maiale", necessaria per svolgere la matassa e far allontanare la bomba in polistirolo nell'arco del cielo, un'operazione che imponeva al pilota una corretta quanto oculata condotta di volo, priva di sobbalzi o strappi di motore, pena anche qui la rottura del sottilissimo cavo e la perdita della bomba Del Mar. L'estrema lunghezza del cavetto nel cielo dava alla bomba un abbassamento notevolissimo, quasi impressionante, poichè durante il circuito, con volteggi leggeri a forma di un gigantesco "8", a quota elevata nel cielo, dava la visione della rossa bomba di alcune centinaia di metri più in basso, quasi fosse estranea al legame con l'aereo-trainatore!
Finita l'esercitazione il pilota innestava il motorino della quadripala, invertendo il passo dell'elica in maniera da riavvolgere l'intera estensione del sottilissimo cavetto, curando sempre la sua condotta di volo sul filo della bassa velocità e sull'accortezza di evitare sbalzi e strappi al motore!

Gli spostamenti del personale addetto alla 651^ Squadriglia Collegamenti e Bersagli, alla quale ho avuto l'onore ed il piacere di svolgere attività di Capo Armiere, per ben 3 anni, rappresentò senza dubbio la pagina più bella ed interessante della mia vita in azzurro, allora di giovane M.llo di 3^ Classe. Si volava spesso, quasi sempre con il C-45, ai comandi del quale si trovava sovente il M.llo 2^ Classe

Il T-33A, esemplare "51-85" ("51-85" - M.M. 51-8937) sulla base d'Istrana

T-33A "51-85", (M.M. 51-8937) at its Istrana base

Pilota Gregorio Baschirotto, ottimo pilota e buon'amico. Talvolta lo sostituiva il suo parigrado Rino Casotto, ma quale Motorista non mancava mai un compagno d'eccezione, il M.llo 1^ Classe Igino Acquarelli, veterano di guerra, ricordandoci i suoi voli sullo Stuka, quale "mitragliere" del prestigioso Com/te Giuseppe Cenni, Medaglia d'Oro al V.M. "alla memoria". Nel ricordo di quel grande eroe ravennate, Acquarelli non mancava mai i commuoversi fino alle lacrime!
Altre volte, quando il traino era disimpegnato da un T-33A, quindi un biposto, qualcuno di noi occupava l'abitacolo posteriore, per godere il duplice spettacolo, quello del volo sul reattore e quello dei tiri reali sopra i complessi antiaerei della Marina Militare o dell'Esercito.
La 651^ Squadriglia Collegamenti e Bersagli d'Istrana, detta anche la "Nobile Squadriglia", era una grande, meravigliosa unità, composta da gente simpatica, cordiale, cameratesca, per un impegno e uno scopo comuni. Ricordo in particolare il Tenente Pilota Marcello Russolillo, bel pilota, dai modi signorili, al quale si deve la ripresa delle più rare quanto bellissime foto raffiguranti i complessi di tiro; il Com/te Gino Cason, col quale era piacevole conversare....in eterna lingua veneta, di tutto e di tutti ciò che riguardava o no il lavoro. Ufficiale apprezzato e ben voluto, disgraziatamente scomparso prematuramente nel 1975, investito banalmente da un auto nei pressi della sua dimora!
Altri personaggi importanti e di prestigio avevano fatto parte della "Nobile Squadriglia", tanti purtroppo scomparsi in età giovanile, non per cause di volo, ma per fatali incidenti stradali, o per gravi malattie........ così è doveroso ricordare Enrico Dallari, Nando Buttelli, Attilio Piana, Ciccio Ventura, Guido Cutry, quest'ultimo un caro e buon'amico, persona di grande carisma e di grande signorilità. Con loro delle persone ancora viventi, che ricordano i loro anni trascorsi sotto l'insegna del "Boxer", tra l'altro nominativo radio della 651^, quindi è doveroso citare altri esponenti dell'unità...... quali Aurelio Maresia, Dino Marcon, Mario Arpino, Giuseppe Garavaglia, Erminio Giuliani, Marco Scarlatti, gli amici Mario Alessi, Domenico Caldato, Roberto Bordigato, Mario Pongiluppi, Rino Casotto, Gregorio Baschirotto, Vito Bragadin, quest'ultimo abilissimo Ufficiale Tecnico e per i Comandanti mi fermerei qui, perchè il resto non merita di apparire sulla mia monografia, non dimenticando che in occasione del lavoro sul 51°Stormo Caccia, "Quelli del Gatto Nero", pur scrivendo e presentandomi come un ex della "Nobile Squadriglia", al fine di avere i nominativi – in sequenza - dei Comandanti dell'unità, a me sconosciuti dopo essere stato trasferito nel 1969 all'aeroporto di Rimini, nessuno si è degnato di dare un'educata risposta!
E doveroso e mi è caro, invece, ricordare i colleghi della 651^ Squadriglia, con i quali in tre anni vissuti al loro fianco ho imparato ciò che per me rappresentava un lavoro ed un impegno del tutto

La slanciata prua di un T-33A della Scuola Turbogetti di Amendola. L'immagine mostra il ruotino di coda, con doppia fanaleria per l'atterraggio notturno ed il freno di picchiata (o aero-freno) sdoppiato. Ben visibile le 4 feritoie delle armi opportunamente tappate (foto Arch. dell'Autore)

The sharp prow of a T-33A from the Scuola Turbogetti at Amendola. The picture shows the nosewheel assembly, with two lights for night landing, and the double dive brakes. The four blanked-off outlets for the guns are also prominent

RT-33A della 651^ Squadriglia Collegamenti e Bersagli d'Istrana: esemplare con codici "51-78" S/N 53-5587 (foto Lab. Fot. 51° Stormo)

RT-33A from the 651^ Squadriglia Collegamenti e Bersagli of 51^ Aerobrigata photographed at Istrana: with code "51-78" S/N 53-5587

Interessante immagine dell'esemplare ST-470 (S/N 51-17470) in volo addestrativo nei cieli di Puglia (foto A.M.

An interesting shot of ST-470 (51-17470) during a trainin flight in skies over Puglia

nuovi, ricevendo – ad eccezione di uno soltanto – aiuti e consigli, primo fra tutti l'amico Mario Del Zon.
Mi inchino inoltre riverente, per primo, alla memoria del Com/te la 651^ Squadriglia Collegamenti e Bersagli d'Istrana, Cap. Pil. Gino Cason, scomparso tragicamente, poi a quella degli specialisti Giovanni Drago, Igino Acquarelli, Pietro Passero, Gino Formigoni, Vincenzo Giadone. Ai colleghi attualmente a riposo, quali Carlo Appiana, Baccichetto Melchiade, Claudio Barattin, Egidio Giomo, Bruno Faustini, Colajanni, Vittore Squarzoni, Emilio Spera, Silvano Paggiaro, Luciano Pauletti, Raffaele Pisano, Aldo Poloniato, amici con i quali spesso ci trovammo, sorretti da reciproca stima ed amicizia, uniti in sedi diverse, per dividere gli stessi impegni, lo stesso lavoro, gli stessi entusiasmi.
Un ultimo ricordo ai miei tre baldi giovani dipendenti del tempo (1966-1969), quali Adalberto Ghion, in precedenza compagni nello stesso 6° Gruppo COT, lo scomparso, carissimo amico Pasquale Di Santo, devo dire il migliore in assoluto dei miei "giovani collaboratori", scomparso in maniera improvvisa e prematura e..... Salvatore Annunziata. Quest'ultimo, figlio delle terre partenopee, ottimo Armiere, tecnico d'eccezione, direi superlativo, non mi fu mai di grande aiuto, ne mai si dimostrò un buon collaboratore, tutt'altro, per una sua forma mentis, che lo portava, per ragioni a me allora sconosciute, più volte a scadere sul piano dei contatti umani e delle mie aspettative!

Un Lockheed T-33A (esemplare TR-660 - S/N 51-6660) al parcheggio lungo una bretella dell'aeroporto di Amendola (foto Arch. dell'Autore)

A Lockheed T33A (TR-660 - S/N 51-6660) parked on strip o Amendola airfield

tic activity of the T-birds incomparable with the real time electronic monitoring of air combat training and weapons simulation. The final Weapons Camp of an F-86K unit at Decimomannu was held in the spring of 1972, one of the final 'follies' of the 'Kappone', which not only proved the Combat Readiness of the pilots of the 23° Gruppo, the final unit to fly this marvellous and unforgettable interceptor fighter, but assisted, on their return to Rimini, in the successful completion of their annual Tactical Evaluation. The final flight of a T-33A occurred on 31 March 1982, when '51-85', M.M.55-3080, and '51-88' M.M.51-9249, of the 651^ Squadriglia Collegamenti e Bersagli, led by Magg. Pil. Mario Alessi and Magg. Pil. Roberto Bordigato, flew their last official mission from Istrana. T-33A '51-85' was flown to Rivolto by General Luciano Casarsa, a highly respected and long serving Italian officer, who had served for many years in command posts with the 51° Stormo, a unit which boasts a splendid history, being awarded both silver and gold valour awards for its World War Two combat operations over Malta, Sicily, Sardinia, and Southern Italy. The T-bird became a part of the collection of historic airframes at Rivolto, serving as a reminder of a classic period of Italian aviation history.

SIGLE E CODICI DI REPARTO STAMPIGLIATI SULLE FIANCATE ANTERIORI DI FUSOLIERA DEI LOCKHEED T/RT-33A IN SERVIZIO NELL'AERONAUTICA MILITARE

TR	Scuola Volo a Reazione - Aeroporto Amendola (FG)
ST	Scuola Turbogetti - Aeroporto Amendola (FG)
SA	Scuola Volo Basico Avanzato Aviogetti - Aeroporto Amendola (FG)
1° Stormo Caccia	Aeroporto Istrana (TV)
2° Stormo Caccia/2^ Aerobrigata	Aeroporto Cameri (NO)
3^ Aerobrigata	Aeroporto Villafranca di Verona (VR)
4° Stormo Caccia	Aeroporti Pratica di Mare (Roma)/Grosseto
5° Stormo Caccia	Aeroporto Rimini
6° Stormo Caccia	Aeroporto Ghedi (BS)
8° Stormo Caccia	Aeroporto Cervia (RA)
9° Stormo Caccia	Aeroporto Grazzanise (CE)
14° Stormo Radiomisure	Aeroporto Pratica di Mare (Roma)
36° Stormo Caccia	Aeroporto Gioia del Colle (BA)
50° Stormo Caccia	Aeroporto S. Damiano di Piacenza (PC)
51° Stormo Caccia	Aeroporto Istrana (TV)
53° Stormo Caccia	Aeroporto Cameri (NO)

N.B. *Abbiamo usato il termine più ricorrente di Stormo da Caccia, ricordando al lettore che fra il 1953 e il 1958 molti di questi reparti assunsero la definizione e le funzioni di "Aerobrigate".*
I Lockheed T/RT-33A in forza a tali Stormi o Aerobrigate dell'Aeronautica Militare, in pratica mantenevano i codici numerici del reparto di appartenenza, ma la loro assegnazione ufficiale riguardava le varie Squadriglie Collegamenti, il cui numero base era 600, al quale uno o i due zeri venivano completati con l'effettivo codice di reparto. Esempio 605ª Squadriglia Collegamento per il 5° Stormo/Aerobrigata, 653ª Squadriglia Collegamento per il 53° Stormo.
Due sole unità disimpegnarono le funzioni di traino bersagli, la 636ª Squadriglia Collegamenti e Bersagli di Gioia del Colle e la 651ª Squadriglia Collegamenti e Bersagli d'Istrana, suddividendosi i compiti del delicato servizio fra il centro-nord e il centro-sud, mentre in Sardegna operavano in comune.

Sigle diverse dagli Stormi/Aerobrigate:

CT	Centro Tiro- Aeroporto Decimomannu (CA)
SST	Centro Standardizzazione al Tiro - Aeroporto Decimomannu (CA)
CR	Centro Radiomisure (poi 14° Stormo) - Aeroporto Pratica di Mare (Roma)
GS	Gruppo Standardizzazione Nazionale

Code prefixes painted on the forward fuselage sides of the Lockheed T/RT-33A in service with the Aeronautica Militare

TR	Scuola Volo a Reazione - Aeroporto Amendola (FG)
ST	Scuola Turbogetti - Aeroporto Amendola (FG)
SA	Scuola Volo Basico Avanzato Aviogetti - Aeroporto Amendola (FG)
1° Stormo Caccia	Aeroporto Istrana (TV)
2° Stormo Caccia/2^ Aerobrigata	Aeroporto Cameri (NO)
3^ Aerobrigata	Aeroporto Villafranca di Verona (VR)
4° Stormo Caccia	Aeroporti Pratica di Mare (Roma)/Grosseto
5° Stormo Caccia	Aeroporto Rimini
6° Stormo Caccia	Aeroporto Ghedi (BS)
8° Stormo Caccia	Aeroporto Cervia (RA)
9° Stormo Caccia	Aeroporto Grazzanise (CE)
14° Stormo Radiomisure	Aeroporto Pratica di Mare (Roma)
36° Stormo Caccia	Aeroporto Gioia del Colle (BA)
50° Stormo Caccia	Aeroporto S. Damiano di Piacenza (PC)
51° Stormo Caccia	Aeroporto Istrana (TV)
53° Stormo Caccia	Aeroporto Cameri (NO)

N.B. *We have used the common terminology of Stormo da Caccia, reminding the reader that between 1953 and 1958 many of these units adopted the definition and functions of "Aerobrigate".*
The Lockheed T/RT-33A assigned to these Stormi or Aerobrigate of the Aeronautica Militare, in practice retained the numerical code prefixes of their assigned unit, but they were officially assigned to the various Squadriglie Collegamenti, which were numbered in the 600 series, with the last two numbers of the unit indicating the Stormo or Aerobrigata. Thus the 605ª Squadriglia Collegamento was part of the 5° Stormo/Aerobrigata, while the 653ª Squadriglia Collegamento was part of the 53° Stormo.
Only two units performed the target towing duty, the 636ª Squadriglia Collegamenti e Bersagli at Gioia del Colle and the 651ª Squadriglia Collegamenti e Bersagli at Istrana, dividing the provision of this difficult service between the centre-north and centre-south of Italy, and working in conjunction in Sardegna.

Various unit code prefixes:

CT	Centro Tiro- Aeroporto Decimomannu (CA)
SST	Centro Standardizzazione al Tiro - Aeroporto Decimomannu (CA)
CR	Centro Radiomisure (poi 14° Stormo) - Aeroporto Pratica di Mare (Roma)
GS	Gruppo Standardizzazione Nazionale

Dati Tecnici Lockheed T/RT-33A

Apertura alare	11,85 mt
Lunghezza totale	11,48 mt
Altezza totale	3,55 mt
Peso a vuoto (PV)	3.810 kg
Peso a carico max	5.432 kg
Velocità minima	164 km/h
Velocità massima	960 km!h
Tangenza massima	14.480 mt
Autonomia massima	2.200 km
Turbogetto	Allison J33-A-35 di kg 2.360/spinta
Equipaggio	2 x T-33A/1 x RT-33A

Particolare ravvicinato per un T-33A della Scuola Turbogetti di Amendola, esemplare S/N 51-9140, ripresso all'interno di un hangar della base pugliese (Foto N. Pignato)

Close up of a T-33A from the Scuola Turbogetti at Amendola (S/N 51-9140) taken inside a hangar on the Pugliam airfield

Lockheed T/RT-33° technical data

Wing span	11,85 mt
Lenght	11,48 mt
Height	3,55 mt
Empty weight (PV)	3.810 kg
Maximum all-up weight	5.432 kg
Stalling speed	164 km/h
Maximum speed	960 km!h
Maximum ceiling	14.480 mt
Maximum range	2.200 km
Turbo Jet "Allison J33-A-35"	Allison J33-A-35 di kg 2.360/spinta
Crew	2 x T-33A/1 x RT-33A

COMANDO 51° STORMO

SIA NOTO A TUTTI CHE

IL Maresciallo 1^ Cl NICOLA MALIZIA
HA VISSUTO UNA MERAVIGLIOSA ED INDIMENTICABILE ESPERIENZA CON IL VELIVOLO "T33"
IN QUALITÀ DI ARMIERE
A TESTIMONIANZA DI CIÒ E PER VIRTÙ DELLA AUTORITÀ CONCESSAMI, CONFERISCO IL RICONOSCIMENTO DI ONORATO MEMBRO DELLA NOBILE 651° SQUADRIGLIA

ISTRANA, 31 Marzo 1982

IL COM.TE il 51° STORMO
Col. Pil. GIOVANNI BATTISTA FERRARI

Il "diplomino souvenir" consegnato ad ogni rappresentante della 651^ Squadriglia Collegamenti e Bersagli durante l'ultimo volo del T-33A ad Istrana (foto dell'Autore)

The little "diploma souvenir" issued to every representative of 651^ Squadriglia Collegamenti e Bersagli during the final flight of T-33A at Istrana

MATRICOLE MILITARI LOCKHEED T/RT-33A-1-LO OPERANTI NELL'AERONAUTICA MILITARE

Matricole Militari of the Lockheed T/RT-33A-1-LO operatiing with the Aeronautica Militare

Serial	Tipo	c/n	data consegna	note
51-4418	T-33A-1-LO	580-5713	00.09.1952	
51-4514	T-33A-1-LO	580-5809	00.07.1952	
51-6576	T-33A-1-LO	580-5908	00.10.1952	
51-6660	T-33A-1-LO	580-5992	00.09.1952	
51-8829	T-33A-1-LO	580-6613	00.04.1953	
51-8831	T-33A-1-LO	580-6515	17.12.1968	consegnato USAF
51-8832	T-33A-1-LO	580-6616	17.12.1968	consegnato USAF
51-8834	T-33A-1-LO	580-6618	00.04.1953	
51-8935	T-33A-1-LO	580-6719	00.05.1953	
51-8936	T-33A-1-LO	580-6720	00.04.1953	
51-8937	T-33A-1-LO	580-6721	00.05.1953	
51-8939	T-33A-1-LO	580-6723	00.04.1953	
51-9030	T-33A-1-LO	580-6814	00.07.1953	
51-9031	T-33A-1-LO	580-6815	00.05.1953	
51-9033	T-33A-1-LO	580-6817	17..12.1968	consegnato USAF
51-9037	T-33A-1-LO	580-6821	00.05.1953	
51-9140	T-33A-1-LO	580-6924	00.07.1953	
51-9141	T-33A-1-LO	580-6925	00.07.1953	
51-9142	T-33A-1-LO	580-6926	00.10.1953	
51-9143	T-33A-1-LO	580-6927	00.07.1953	
51-9145	T-33A-1-LO	580-6929	00.06.1953	
51-9249	T-33A-1-LO	580-7033	00.07.1953	
51-9251	T-33A-1-LO	580-7035	00.08.1954	
51-9253	T-33A-1-LO	580-7037	00.09.1953	
51-9259	T-33A-1-LO	580-7043	00.09.1953*	
51-17454	T-33A-1-LO	580-7147	00.09.1953	
51-17455	T-33A-1-LO	580-7148	00.09.1953	
51-17467	T-33A-1-LO	580-7258	00.09.1953	
51-17470	T-33A-1-LO	580-7364	00.10.1953	
51-17474	T-33A-1-LO	580-7368	00.10.1953	
51-17477	T-33A-1-LO	580-7371	00.10.1953	
51-17484	T-33A-1-LO	580-7378	00.10.1953	
51-17488	T-33A-1-LO	580-7468	00.10.1953	
51-17489	T-33A-1-LO	580-7469	00.01.1954	
51-17495	T-33A-1-LO	580-7475	00.11.1953	
51-17499	T-33A-1-LO	580-7479	00.11.1953	
51-17506	T-33A-1-LO	580-7486	00.10.1953	
51-17512	T-33A-1-LO	580-7572	00.12.1953	
51-17527	T-33A-1-LO	580-7587	00.12.1953	
51-17529	T-33A-1-LO	580-7589	00.12.1953	
51-17531	T-33A-1-LO	580-7591	00.12.1953	
51-17534	T-33A-1-LO	580-7679	00.11.1953	

Serial	Tipo	c/n	data consegna	note
51-17536	T-33A-1-LO	580-7681	00.11.1953	
52-9898	T-33A-1-LO	580-7794	17.12.1968	consegnato USAF
53-5238	RT-33A-1-LO	580-8577	00.00.1957	Ex THK - Turchia
53-5239	RT-33A-1-LO	580-8578	00.00.1957	Ex PA - Grecia
53-5273	RT-33A-1-LO	580-8612	00.01.1955	
53-5322	RT-33A-1-LO	580-8661	00.00.1957	
53-5329	T-33A-1-LO	580-8668	00.05.1965	Ex USA*
53-5359	RT-33A-1-LO	580-8698	00.03.1955	
53-5396	RT-33A-1-LO	580-8735	00.00.1956	
53-5420	RT-33A-1-LO	580-8759	00.11.1956*	
53-5430	RT-33A-1-LO	580-8769	00.00.1957	Ex THK - Turchia
53-5525	RT-33A-1-LO	580-8864	00.11.1955	
53-5539	RT-33A-1-LO	580-8878	00.00.1957	Ex THK - Turchia
53-5587	RT-33A-1-LO	580-8926	00.01.1956	
53-5594	RT-33A-1-LO	580-8933	00.00.1957	Ex THK - Turchia
53-5631	RT-33A-1-LO	580-8970	00.00.1957	Ex THK - Turchia
53-5668	RT-33A-1-LO	580-9007	00.00.1957	Ex THK - Turchia
53-5795	RT-33A-1-LO	580-9134	00.00.1957	Ex THK - Turchia
54-1548	RT-33A-1-LO	580-9179	---------*	Ex THK - Turchia
54-1602	T-33A-1-LO	580-9338	00.01.1956	
54-1603	T-33A-1-LO	580-9339	00.11.1955	
54-2950	T-33A-1-LO	580-9450	00.11.1955	
54-2951	T-33A-1-LO	580-9451	00.11.1955	
54-2952	T-33A-1-LO	580-9452	00.11.1955	
54-2953	T-33A-1-LO	580-9453	00.11.1955	
54-2954	T-33A-1-LO	580-9454	00.11.1955	
54-2980	T-33A-1-LO	580-9480	00.01.1956	
54-2952	T-33A-1-LO	580-9482	00.01.1956	
55-3030	T-33A-1-LO	580-9571	00.01.1956	
55-3031	T-33A-1-LO	580-9572	00.01.1956	
55-3033	T-33A-1-LO	580-9574	00.02.1956	
55-3034	T-33A-1-LO	580-9575	00.01.1956	
55-3036	T-33A-1-LO	580-9577	00.01.1957	
55-3037	T-33A-1-LO	580-9578	00.01.1956	
55-3075	T-33A-1-LO	580-9616	00.05.1956	
55-3076	T-33A-1-LO	580-9617	00.02.1956	
55-3077	T-33A-1-LO	580-9618	00.01.1956	
55-3078	T-33A-1-LO	580-9619	00.02.1956	
55-3080	T-33A-1-LO	580-9621	00.02.1956	
55-3081	T-33A-1-LO	580-9622	00.02.1956	
55-3086	T-33A-1-LO	580-9627	00.02.1956**	
55-3088	T-33A-1-LO	580-9629	00.02.1956**	

---

* Riportati sul volume “Italian Military Aviation” di Frank McMEIKEN, Edizione 1984 - Midland Counties Publication(Aerophilee) Limited - Earl Shilton/Leicester (England).

** Programmati per l’Italia, ma consegnati all’Aeronautica Militare portoghese.

NOTE DI COLORE DEI LOCKHEED T/RT-33A

Come è logico osservare oggi, trovandoci al cospetto delle immagini dei nuovi velivoli assegnati all'Aeronautica Militare durante i primi anni cinquanta, cioè i nostri Lockheed T/RT-33A, questi non mancarono di presentare alcune note di colore, per lo più ridotte nelle loro tenute cromatiche, soprattutto se ci riferiamo al biposto (T-33A), ma molto più appariscenti per il monoposto (RT-33A), soprattutto quando ad esso fu assegnato il compito del "Traino-Bersagli".

I primi T-33A giunti sull'aeroporto di Amendola (Foggia), sede della Scuola Addestramento, si presentavano essenzialmente nella loro veste di alluminio naturale, salvo piccole note di colore su alcuni punti ben precisi della struttura. Alcuni di questi colori non furono presenti sui T-33A assegnati agli Stormi e alle Aerobrigate, ma rimasti solo durante il periodo addestrativo presso la Scuola pugliese. Osservando l'intera struttura, inizialmente esterna, diremo che i T-33A codificati TR/ST avevano inizialmente i serbatoi alari color alluminio all'esterno, dipinti di nero semilucido nella parte interna. Ad alta brillantezza (n. 7) per i futuri "traino-bersagli". Più tardi adottarono un colore arancione esterno, ad alta brillantezza (colore AA-M-P100D). Un rosso lucido fu presente in prossimità delle attaccature delle ali, pur se i T/RT-33 avevano l'ala in pianta unica, rosso esteso alla parte inferiore del musetto e alle "toppe" che coprivano le feritoie delle armi. Identico colore, attraverso un bordo passante attorno alla parte terminale di fusoliera, per indicare la posizione del distacco di

RT-33A della 651ª Squadriglia Collegamenti e Bersagli d'Istrana: un esemplare con codici "51-76" S/N 53-5322 (foto Lab. fot. 51° Stormo)

RT-33A from the 651ª Squadriglia Collegamenti e Bersagli of 51ª Aerobrigata photographed at Istrana: one example with code "51-76" S/N 53-5322

Notes on Lockheed T/RT-33A colourschemes

It is logical to observe today, when reviewing images of the new aircraft assigned to the Aeronautica Militare during the early years of the fifties, such as the Lockheed T/RT-33A, that these were not devoid of some additional colour, in the main applied to their overall aluminium colourscheme, above all if referring to the two-seat (T-33A). Much more flamboyant schemese were featured on the single seat RT-33A, particularly when this version was assigned to the "Target Towing" role.
The first T-33A to arrive at Amendola (Foggia) airfield, base of the Scuola Addestramento, featured an overall finish of natural aluminium, apart from a few small coloured areas on well defined areas of the structure. Some of these colours were not present on the T-33A assigned to the Stormi and Aerobrigate, only being applied during their training service with the Apulian school. Observing the entire airframe, initially from the outside, it is clear that the T-33A with TR and ST code prefixes initially had their tip tanks painted in natural aluminium, with semi-gloss black inward facing sections. Later on, the external areas of the tanks were painted high visibility dayglow orange (AA-M-P100d). A gloss red area was located just forward of the wing attachment, albeit that the T/RT-33A possessed a one piece wing, and this was extended to the lower part of the nose, and to the plugs which covered the gun muzzle slits [which housed no guns]. A red circular band ran around the fuselage just after of the wing, indicating the fuse-

Particolare ravvicinato del timone orizzontale di coda di un North American P-51D del C.A.T. colpito da un proiettile da 20 mm sparato da un incauto e impreparato pilota a bordo di un F-86K (foto A. Mauri)

Close up of the horizontal rudder of tail for a North American P-51D of C.A.T. hit from a bullet of 20 mm fired by an imprudent and unprepared pilot of North American F-86K

questa per il normale sbarco del motore. Rosso anche lo sfiato di drenaggio del carburante, posto nella parte destra del terminale di fusoliera e il riquadro rettangolare sopra i flaps. Il nero opaco interessava la codificazione dei numeri e delle lettere dei velivoli, riferita ai Serial Numbers, le Matricole Militari, la curvatura iniziale del "fin", compreso il musetto superiore e l'antiriflesso posto innanzi al posto di pilotaggio. Bande nero opaco, in forma rettangolare, all'attaccatura delle ali alla fusoliera. Due piccole e corte bande nere per parte figuravano nella parte bassa della fusoliera, per alcuni esemplari fra la coccarda e l'ombra dei piani di coda, per altri sul terminale del "fin". La posizione della coccarda tricolore non fu uguale per tutti, soprattutto per i T-33A. Si hanno esempi di una posizione molto arretrata sulla fusoliera (vedasi alcuni T-33A della Scuola Volo di Amendola), mentre altri la posizionarono al di là della linea rossa circolare, molto vicino all'attaccatura delle ali.
Molto più appariscente lo schema utilizzato sugli aerei destinati al "Traino-Bersagli", ma solo per gli RT/33A, anche se inizialmente, durante la prima assegnazione agli Stormi e alle Aerobrigate giunsero col il loro colore naturale alluminio.
Con l'assegnazione dell'accennato compito del "Traino Bersaglio", ma anche nei confronti degli esemplari destinati ai reparti esenti da tale impegno, tutti gli RT-33A furono dipinti col colore arancione ad alta brillantezza n. 21. Per l'interno il nero n. 7, già menzionato. Tale schema si riferiva alla superficie superiore, mentre quella inferiore fu caratterizzata di un colore giallo cromo opaco n. 15, con bande oblique in nero. La codifica del giallo cromo opaco era colore AA-M-P100b.
Agli RT-33A una banda rettangolare nera sulla superficie superiore delle ali, nella parte leggermente posteriore delle stesse, là dove era più facile potersi muovere con le calzature. Il telaio del tettuccio degli RT-33A destinati o no al "Traino Bersagli" rimase sempre di colore alluminio.
Precisiamo che per il "Traino-Bersagli" furono impiegati anche dei biposto, ma non per questo subirono la colorazione destinata ai monoposto. Furono degli impieghi limitati, sporadici, ma avvennero.
La colorazione degli interni, da una illustrazione curata dal Sig. Lucio Alfieri, aeromodellista, legato al prestigioso CMPR di Ravenna, possiamo dire che il "T-Bird" aveva il seguente schema:

- abitacolo: grigio-chiaro (Humbrol HB.3)
- Pannelli dei comandi: nero opaco
- Seggiolino: grigio-scuro opaco
- Poggiatesta: rosso-opaco
- Portelli dei carrelli: colore naturale dell'alluminio
- Vani dei carrelli: verde-chiaro opaco (Humbrol n. 1 "Eau de Nil")

lage section that could be detached to perform engine maintenance. The fuel drain outlet, sited on the lower right rear section of the fuselage was also painted in red, while there was a red square above the wing flaps.
Matt black paint was used for all the code numbers and lettering on the aircraft, the Serial Numbers, Matricole Militari, the initial curve of the fin, the upper section of the nose cone and the anti-glare panel forward of the cockpit. A black rectangular band went around the wings adjacent to where they joined the fuselage. Two small short black stripes often featured on the lower section of the fuselage, on some example wetween the roundel and the underside of the stabilisers, and on others between the red circular fuselage band and below the stabilisers. The rear section of the rudder was in clear grey.
The positioning of the roundel was not standardised, above all on the T-33A. There are examples of the roundel being positioned well to the rear of the fuselage (noted on some T-33A of the Scuola Volo At Amendola), while on others they were positioned on the red strip that ran around the fuselage, very close to the wing attachment points.
A far more visible scheme was used on those aircraft destined for Target Towing, only however on the RT/33A, although initially, during their first apparition with the Stormi and Aerobrigate, they wore the natural aluminium colourscheme.
With their assignment to the "target Towing" role, but also to distinguish them from other examples assigned to units not engaged in this role, all the RT-33A received a dayglow orange high visibility colour scheme. This scheme was applied to the upper surfaces, while for target tugs the under surfaces were painted in a matt chrome yellow finish with black oblique bands. The matt yellow colours was designated AA.M-P100b.
The RT-33A received a rectangular black band on the upper and lower surfaces of the wings. The canopy screen for the RT-33A, whether engaged in target towing or not, remained aluminium.
It sould be remembered that for "Target Towing" tw-seaters were also used, but these were not resprayed into the same colours as the single seats. Their employment was limited and sporadic, but it did occur.
The internal colours can be best illustrated by referring to a drawing by the noted modeller of the CMPR, Sig. Lucio Alfieri, which shows the "T-Bird" with the following scheme:
• cockpit interior: gloss grey (Humbrol HB-3)
• control panels: matt black
• crew seats: matt dark grey
• headrest: matt red
• undercarriage doors: natural aluminium
• undercarriage bays: matt clear green (Umrol n. 1 "Eau de Nil")
• undercarriage structure and wheel bosses: natural aluminium

I modelli del T-33 di Alessandro Nati Fornetti

Partendo dalla scala 1/72, il kit Hasegawa, nonostante sia decisamente anziano, è quello con le forme più corrette; purtroppo le pannellature sono in rilievo, l'abitacolo è spoglio ed il tettuccio molto spesso: questi particolari possono comunque essere prelevati dal modello Heller.

Il kit Heller è migliore come dettagli, ma meno accurato dell'Hasegawa per quanto riguarda le forme della fusoliera; in particolare notiamo la vista in pianta del muso, le prese d'aria e la deriva. Offre l'interessante opzione del musetto per la versione fotografica RT-33.

La situazione in scala 1/48 è simile: il vecchissimo kit Testors è quello con le forme migliori, ma è poverissimo di dettagli, e con un tettuccio orribile; il più recente Hobbycraft/Academy (disponibile anche nella versione RT-33) presenta un eccellente dettaglio di superficie, in negativo, ma l'abitacolo e le prese d'aria sono troppo indietro: anche la carenatura posteriore del tettuccio e la deriva hanno forme poco convincenti.

In scala 1/32, la statunitense Collect-Aire ha annunciato un kit completo, in resina, per la fine del 2004.

Sottolineiamo infine che i T-33 sono stati forniti all'Italia eqipaggiati con seggiolini Lockheed M5A1, sostituiti poi, nell'ultimo periodo di servizio, dai Martin-Baker Mk.NU-5A.

Lockheed T-33 con le insegne del Centro Radiomisure, realizzato sulla base del kit Hasegawa in scala 1/72 da Carlo Melia

A Lockheed T-33 carrying the insignia of the Centro Radiomisure, completed using as a basis the Hasegawa 1/72 scale kit. The modeler was Carlo Melia

The T-33 models by Alessandro Nati Fornetti

Beginning with the 1/72 scale, the Hasegawa kit, despite its significant age, is that which offers the most correct form; unfortunately the paneling is too prominent, the cockpit is bare, and the canopy is overly thick: these parts can, however, be 'robbed' from the Heller model.

The Heller offering is better in detail but less accurate than the Hasegawa kit in respect of the fuselage shape; in particular the nose section, air intakes, and fin are inaccurate. It does, however, offer an interesting option, as the photographic nose section of the RT-33A variant is available.

The situation in 1/48 scale is similar: the old Testors kit offers the best shape, but is poor in detail, and has a horrible canopy: The more recent Hobbycraft/Academy (also available in the RT-33 version) presents excellent surface detail [in negative outlines], but the cockpit and air intakes are too far back: additionally, the rear cockpit housing and fin are less than convincing.

In 1/32 scale, the American company Collect-Aire has announced a complete resin kit, which should be available by the end of 2004.

It should be remembered that the T-33 supplied to Italy were equipped with the Lockheed M5A1 ejector seat, replaced later, in their final years of service, by the Martin-Baker Mk.NU-5A.

Pur non esente da difetti di forma, il modello Hobbycraft/Academy è un buon compromesso per una realizzazione in scala 1/48

Despite not possessing some defects in shape, the Hobbycraft/Academy model is a good compromise for a 1/48 scale reproduction

La scatola Hasegawa, vecchissima ma ancora consigliata per la scala 1/72

The Hasegawa box: an old offering, but still advisable for a 1/72 scale model

ACCESSORI DISPONIBILI/*Accessories available*

SCALA 1/72

ACCESSORI/*Accessories*

AEROCLUB
EJ026 Seggiolini Mk.5/*Mark 5 ejector seat*

AIRWAVES
72107 Fotoincisioni/*Photoincisions*

EDUARD
72145 Fotoincisioni/*Photoincisions*

FLIGHTPATH
(s.n.) Scaletta in fotoincisione/*Photoincisions steps*

PAVLA
S72018 Seggiolini Lockheed/*Lockheed ejector seat*

PPAEROPARTS
AL725 Scaletta in fotoincisione/*Photoincisione steps*

TRUE DETAILS
TD72405 Seggiolini Lockheed/*Lockheed ejector seat*

DECAL

TAUROMODEL
72505 Stemmi di reparto A.M.I./*A.M.I. unit insignia*
72514 Numeri di reparto e matricole A.M.I./*A.M.I. serials and code numbers*
72527 Coccarde A.M.I./*A.M.I. roundels*

SCALA 1/48

ACCESSORI/*Accessories*

AEROCLUB
EJ 409 Seggiolino Mk.5/*Mk.5 ejector seat*

AIRWAVES

48040	Fotoincisioni/*Photoincisions*

BLACK BOX

48064	Cockpit (ex KMC)/*Cockpit (ex KMC)*

COBRA COMPANY

48015	Seggiolini Mk.5/*Mk.5 ejector seat*

CUTTING EDGE

48194	Seggiolini Lockheed/*Lockheed ejector seat*

EDUARD

XF115	Mascherature per il tettuccio/*Canopy masking*
48193	Fotoincisioni

FALCON

Clear-Vax 52	Tettuccio vacuform/*Vacform canopy*

KMC

4008	Set di dettaglio/*Detail sets*
5042	Superfici mobili/*Mobile surfaces*
5044	Prese d'aria/*Air intake*
6006	Cockpit

REHEAT

056	Set di dettaglio in resina/*Detail set in resin*
059	Flap

TRUE DETAILS

48402	Seggiolino Lockheed/*Lockheed ejector seat*
48088,089	Ruote in resina/*Resin wheels*

VERLINDEN

0854	Set di dettaglio/*Detail set*

DECAL

TAUROMODEL

48504	Stemmi di reparto A.M.I./*A.M.I. unit insignia*
48520	Stemmi di reparto e matricole A.M.I./*A.M.I. unit badges and numerals*
48526	Numeri di reparto e matricole A.M.I./*A.M.I. unit numerals and serials*
48528	Coccarde A.M.I./*A.M.I. roundels*
48535	Numeri di reparto e matricole A.M.I./*A.M.I. unit numerals and serials*
48566	USAF, Luftwaffe, A.de l'A., A.M.I. (Completo/*Complete*)

Uno dei primi RT-33A assegnato al 1° Stormo CI/51ª Aerobrigata d'Istrana (foto dell'Autore)

One of the first RT-33A assigned to the 1° Stormo/51ª Aerobrigata at Istrana)

Controllo "pre-volo" per un Allievo pilota della Scuola Volo di Amendola (foto R. Sgarzi)

A student from the Amendola Scuola performs his pre-flight checks

Bibliografia
Bibliografy

- *"The P-80 Shooting Star (Evolution of a Jet Fighter)"by E.T. Wooldridge, Jr./National Air and "Space Museum"/By the Smithsonian Institute Press - 1979.*
- *"Shooting Stars - Lockheed's Legendary T-Bird" - By Michael O'Leary (Osprey Colour Series) Editor Dennis Baldry/Published by Osprey Publishing Limited, London 1984.*
- *"Varie Riviste di tecnica e storia statunitensi".*
- *"Manuali Tecnici di reparti A.M.".*
- *Appunti personali ed esperienze dell'Autore durante la sua attività sui T/RT-33A della 651ª Squadriglia Collegamenti e Bersagli/51ª Aerobrigata d'Istrana.*